Arte y arquitectura: nuevas afinidades

Art and architecture: new affinities

Editorial Gustavo Gili, SA

08029 Barcelona   Rosselló, 87-89. Tel. 93 322 81 61
México, Naucalpan 53050   Valle de Bravo, 21. Tel. 560 60 11

Traducción al castellano/*Spanish translation*
Elena LLorens Pujol

Revisión del texto en inglés/*English text revision*
Paul Hammond

Diseño de la cubierta/*Cover design*
Estudi Coma

© Julia Schulz-Dornburg
© Editorial Gustavo Gili, SA, Barcelona, 2000

Printed in Spain
ISBN: 84-252-1778-4
Depósito legal: B. 41.480-1999
Impresión: Grafos, SA, Arte sobre papel

Julia Schulz-Dornburg

Arte y arquitectura: nuevas afinidades

Art and architecture: new affinities

GG®

Índice

Contents

Prólogo

Los límites entre el arte y la arquitectura se desdibujan una vez más a medida que objetivos y actitudes convergen. Las intervenciones y los lugares se parecen cada día más. Ciertas obras son tan similares que a menudo resulta difícil determinar si el autor es un artista o un arquitecto. El respeto mutuo y las aspiraciones parecidas siempre han provocado un debate muy vivo entre la esfera del arte y la de la arquitectura. El constructivismo ruso, *de stijl*, el expresionismo y la Bauhaus son algunos movimientos de la historia reciente en los que ambas lidian en torno a visiones compartidas y objetivos comunes. Los llamamientos en pro de una mayor colaboración entre las dos disciplinas, las proclamaciones de transgresión de los límites mutuos, y, por otra parte, las comparaciones acerca de su integridad y relevancia, o su autonomía e independencia, han definido siempre la relación ambigua entre arte y arquitectura. Sin embargo, por divergentes que sean los objetivos o las creencias concretas, por distinta que sea la licencia artística del compromiso arquitectónico, ambas disciplinas están y estarán siempre inextricablemente unidas por su función esencialmente creativa.

Resulta imposible definir con precisión cualquiera de las dos profesiones y delimitar con exactitud sus ámbitos de trabajo. No obstante, precisamente esta dificultad de delimitación es la que constituye la esencia misma de ambas disciplinas. Cada una cuenta con un sistema de referencias que lo abarca todo en su fuerza rectora. Sólo con semejante visión panorámica y un amplio repertorio expresivo pueden el arte y la arquitectura crear vívidas anotaciones, así como añadir a nuestras vidas conmovedores apéndices que modifiquen nuestra percepción.

¿Por qué reavivar entonces las viejas discusiones entre arte y arquitectura? ¿Por qué hacer un nuevo esfuerzo para definir sus semejanzas, sus conceptos y modos comunes de expresión? Los últimos veinte años han sido testigos de un gran cambio en la estructura y el punto de vista de nuestra sociedad; dichos cambios han alterado y redefinido los objetivos y la práctica del arte y la arquitectura. El cambio en nuestros valores culturales ha afectado a ambas disciplinas, por lo que resulta interesante observar cuánto terreno común han encontrado en respuesta a este cambio. Este libro examina los paralelismos existentes en la evolución reciente del arte y la arquitectura en el ámbito internacional. El espacio de tiempo que abarca este estudio comprende las dos últimas décadas del siglo XX (1978-1998), una época marcada por la tendencia creciente hacia una percepción sensual del espacio y la importancia cada vez mayor del

observador, puesto que, durante este período, el arte ha abandonado el museo y se ha atrevido a salir a la calle en busca de un público más amplio. El interés se ha desplazado de las obras autónomas y autorreferenciales a las instalaciones *site-specific* con conceptos que incluyen al público. En arquitectura, los edificios se han vuelto más permeables y sus programas cada vez más flexibles e interactivos. Juntos, el arte y la arquitectura han pasado de crear objetos fijos para ser admirados a crear ambientes para ser experimentados y utilizados.

Todas las obras escogidas son tridimensionales, pese a que no todas se han realizado. Los criterios de selección excluyen, evidentemente, otras obras importantes, si bien la tarea de seleccionar, incluso con semejantes limitaciones, ha resultado difícil. Desgraciadamente no se pueden mostrar aquí todas las obras escogidas. Este libro no es una mera recopilación de obras representativas de artistas y arquitectos contemporáneos. Los criterios de selección de las obras no han tenido en cuenta la trayectoria gobal de un artista o un arquitecto sino que se han considerado, de forma especial, aquellos aspectos que ponían de manifiesto el diálogo entre ambas disciplinas.

El libro consta de dos partes. En la página izquierda de cada capítulo se muestra la obra de un artista y en la de la derecha, la de un arquitecto. El recurso de presentar la obra por parejas ha sido ideado para acentuar el notable grado de correspondencia entre arte y arquitectura, y para poner de relieve las cualidades físicas y conceptuales comunes de los proyectos. Desde el principio hasta el fin se incluyen en la categoría de arquitectura a diseñadores, paisajistas y luminotécnicos puesto que sus respectivos trabajos, definidos por contrato para proporcionar al cliente un servicio de diseño cuantificable, son semejantes. Las obras aparecen reunidas según conceptos y presentadas en ocho apartados que identifican las características más importantes de cada proyecto. 'Barómetro' se centra en la conexión de la obra con su entorno natural, mientras que 'Pasaje' investiga la relación de la percepción del espacio con el movimiento físico. 'Reflexión' fija la mirada en la fuerza evocadora de la imagen doble, y 'Luz', por su parte, reúne ejemplos de la cualidad material de la luz. El tema del capítulo titulado 'Observación' trata de la manipulación de nuestro punto de vista habitual, mientras que 'Excavación', tal y como sugiere el título, lo hace de la exploración del espacio negativo. El capítulo titulado 'Sonido' examina la omnipresencia de estructuras resonantes, mientras que 'Memoria' está dedicado al carácter físico de nuestros recuerdos.

Foreword

The boundaries between art and architecture are blurring once more, as aims and attitudes converge. Interventions and sites are increasingly alike. Some of the work is so similar that it is often difficult to determine whether the author is an artist or an architect.

Mutual respect and similar aspirations have always made disputes between the fields of art and architecture intense. Russian Constructivism, De Stijl, Expressionism and the Bauhaus are some of the movements in recent history in which the two wrestle over shared visions and common goals. Appeals for closer collaboration, proclamations about transgressing each other's boundaries, comparisons of integrity and relevance, pleas for autonomy and independence have always defined the ambiguous relationship between art and architecture. But however divergent the specific aims or beliefs, however different artistic license from architectural liability, both disciplines are and always will be inextricably linked by their fundamentally creative function.

An accurate definition of either profession or an exact demarcation of their fields of operation is impossible. But it is precisely this difficulty of delimitation that constitutes the very essence of both disciplines. Each relies on an all-encompassing reference system as its motive force. Only with such a panoramic view and a wide choice of expression can art and architecture create vivid annotations and poignant and perception-changing additions to our lives.

Why then revive old debates about art and architecture? Why make another effort to define their similarities, common concepts and modes of expression? The past twenty years have seen a great change in the structure and outlook of our society and these changes have altered and redefined the objectives and practice of art and architecture. The shift in our cultural values has affected the two disciplines and it is interesting to observe how much common ground they have found in response to it. This book examines the parallels in the recent development of art and architecture on an international level. The time-frame covered includes the past two decades (1978-1998), a time marked by a growing tendency towards a sensual perception of space and a shift in emphasis in the role of the perceiver. For it is during this period that art has left the museum and ventured onto the street in search of a wider audience. Interest has shifted from autonomous and self-referential works to site-specific installations with audience-inclusive concepts. In architecture, buildings have become more permeable. Their programs are increasingly

flexible and interactive. Together, art and architecture have moved away from creating objects to be looked at, to creating environments to be experienced and used.

All the chosen works are three-dimensional, though not all of them have been built. The selection criteria obviously excludes important work, but the task of selecting even within such constraints has been a difficult one. Unfortunately, not all the work that was selected can be shown here. This book is not a compilation of the representative contemporary work of artists and architects. Its emphasis is on work that epitomizes important aspects of the current conversation between art and architecture. As a result, projects where chosen on their own terms and not for how they fitted into an artist or architect's oeuvre.

The book consists of two parts. Within each chapter, the left-hand page shows the work of an artist and the right-hand page that of an architect. This device of presenting the work in pairs has been contrived to emphasize the remarkable degree of correspondence between art and architecture and to highlight the common conceptual and physical qualities of the projects. Throughout, designers, landscape architects and lighting engineers are included in the architectural category, as their working structures, contractually defined to provide a quantifiable design service to the client, are alike. The works are assembled according to their design concept and arranged in eight sections, which identify the most important characteristics of each project. 'Barometer' focuses on the connection of the work to its natural environment, and 'Passage' investigates the relationship of space perception to physical movement. 'Reflection' looks at the suggestive power of the double image, and 'Light' compiles examples of the material quality of luminous matter. The manipulation of our habitual point of view is the subject of the chapter called 'Observation', while 'Excavation', as the title suggests, deals with the exploration of negative space. The 'Sound' chapter reviews the pervasive presence of resonant structures, and 'Memory' is dedicated to the physicality of our recollections.

Hacia una percepción sensual del espacio

Daniel Buren, *Sin título*, obra llevada
por hombres-anuncio, París, 1968.
Daniel Buren, Untitled, *work carried
by sandwichmen, París, 1968.*

1 2

Richard Serra, *Punto de vista*,
Amsterdam, 1971.
Richard Serra, Sight Point,
Amsterdam, 1971.

Cultura popular

Podemos identificar los últimos veinte años con la fragmentación de las comunidades nacionales y el consiguiente movimiento geográfico de comunidades étnicas, con la certeza del agotamiento de los recursos naturales y con la naturaleza volátil de un nuevo deporte internacional, el mercado bursátil. La facilidad con que se puede acceder a un ordenador personal ha constituido un acontecimiento menos espectacular, aunque puede que sea el factor más influyente de este período. En los últimos quince años, esta pantalla electrónica se ha infiltrado en la mayoría de hogares y nos ha brindado la oportunidad de trabajar en casa, de ponernos en contacto con gente con la que hubiera sido imposible de otro modo, así como de participar en un intercambio de información global. Esta red de información virtual ha afectado a nuestra cultura y a nuestro sistema educativo. La idea de que el saber es un privilegio ha sido "socavada" por el acceso ilimitado a la información. A pesar de sus consecuencias imprevisibles, Internet promete ejercer efectos democratizadores positivos en la sociedad contemporánea.

Las semillas de esta dilución de las jerarquías culturales establecidas se sembraron en los años sesenta. En esa época, la creencia de que cualquier cosa era posible afectó a toda una generación. Las posibilidades parecían ilimitadas —para bien o para mal, el holocausto nuclear era una posibilidad tan real como la colonización del espacio exterior—, de modo que la sociedad pareció contemplar cambios radicales (el amor libre, la igualdad y la paz). Existía la esperanza de que se podrían modificar las antiguas y arraigadas estructuras mediante el poder de la convicción y de la razón. Fue en este período cuando los pioneros de las obras a caballo entre el arte y la arquitectura —Daniel Buren, Richard Long, Vito Acconci, Andy Warhol, Gordon Matta-Clark, los Smithson, Archigram, Archizoom y el Team X— iniciaron los cimientos para un dialogo continuado sobre una cultura más popular.

El arte abandona el museo

Uno de los debates acalorados en los discursos teóricos y culturales de los años sesenta fue en torno al lugar que debía ocupar el arte en la sociedad. Herbert Marcuse y Theodor Adorno fueron los primeros en defender la "liberación" del arte del museo —según Adorno, poco menos que un "cementerio de herencias"— y en encontrar una fórmula para

un contacto más directo con el público. Gerhard Bott, en su libro sobre el futuro del museo, sostiene que "el arte debe tener una presencia extramuros a fin de disipar el odio de la exclusividad. El arte forma parte de la vida y la vida está expuesta a cambios y a nuevas orientaciones que deben ser visibles y efectivos en todo lugar".[1]

Sin embargo, este éxodo del museo fue un proceso gradual. El museo tradicional era un entorno especializado y protegido creado por y para una elite cultural, de modo que las exposiciones fuera de las paredes de la "caja blanca" no podían ser sino más públicas y accesibles [1]. Los modos convencionales de presentar la obra de arte, tales como el uso de grandes pedestales, han sido gradualmente abandonados en aras de una relación más próxima entre la obra y el espectador.

En los años setenta, los artistas minimalistas fueron los primeros en presentar su obra no sólo exenta de pedestal sino directamente sobre el suelo de la plaza, la calle o el parque [2]. Retrospectivamente, cuesta imaginar el impacto que debió causar este paso. Grandes esculturas en las que se podía entrar, sentarse y tocar —los famosos embalajes de Christo o las célebres esculturas de acero *corten* de Richard Serra— causaron un gran efecto sobre la gente. A pesar del acercamiento entre el público y la obra, la escala de estas piezas era todavía imponente. Pese a ello, supusieron el primer paso y se sentaron las bases para una actitud artística menos elitista.

Arte *site-specific* en espacios no institucionales

En la arquitectura del museo también se observaron cambios. Los templos de la cultura comenzaron a despojarse de su aire de superioridad intimidante y trataron de incorporar el flujo diario de gente, así como las actividades y los movimientos desarrollados fuera de sus puertas [3]. A estas instituciones se les añadieron tiendas de regalo, librerías y restaurantes para atraer y retener a un mayor número de visitantes. Los talleres, cursos y clases adicionales tenían como objetivo extender el papel del museo más allá del Arte en mayúsculas. Las exposiciones se celebraban en lugares cada vez más públicos y menos institucionales, desafiando así deliberadamente el aura enrarecida del museo tradicional.

En los años ochenta el museo ya se había desmitificado. El proceso de democratización de la época posmoderna llevó a reconsiderar el papel del usuario y del contexto. La atención se desplazó de las obras de arte

Towards a sensual space perception

Renzo Piano & Richard Rogers,
Centre Pompidou, París, 1977.
Renzo Piano & Richard Rogers,
Centre Pompidou, *Paris, 1977.*

3

Popular culture

We can identify the last twenty years with the fragmentation of national communities and the resulting geographic movement of ethnic communities, the certainty of the limits of natural resources and the volatile nature of a new international sport, the stock market. The easy availability of the personal computer has been a less spectacular event but it may well be the most influential factor of this period. This electronic screen has infiltrated most households within the last fifteen years. It has given us the option of staying at home while we work, of connecting with people who would have been beyond our reach and to let us participate in a global information exchange. This virtual information network has affected our culture and educational system. The idea that knowledge is privileged has been 'undermined' by unlimited access to information. For all its unforeseeable consequences, the Internet promises to have positive democratizing effects on contemporary society.

The seeds of this gradual dilution of established cultural hierarchies were sown in the 1960s. At the time the belief that anything was possible affected the outlook of an entire generation. Possibilities seemed limitless, for better or worse, the nuclear holocaust was as likely as the colonization of outer space, and society seemed to contemplate radical changes (free love, equality and peace). There was hope that old, entrenched structures could be altered by the power of conviction and reason. It is in this period that the pioneers of work in the gap between art and architecture —Daniel Buren, Richard Long, Vito Acconci, Andy Warhol, Gordon Matta-Clark, the Smithsons, Archigram, Archizoom and Team X— laid the foundations for a continuing conversation about a more popular culture.

Art leaves the museum

In the cultural and theoretical discourses of the 60s, discussion about the appropriate place for art in society was heated. Herbert Marcuse and Theodor Adorno were the first ones to defend the 'freeing' of art from the museum —according to Adorno nothing less than a perpetual graveyard— and to find a formula for more direct contact with the public. Gerhard Bott, in his book about the future of the museum, proclaims that "Art must have an extramural presence, so as to disperse the odium of exclusivity. Art is part of life and life is exposed to changes and new orientations, which must be visible and effective everywhere." [1]

But this exodus from the museum was a gradual process. The traditional museum was a protected and specialized environment created by and for a cultural elite, so exhibitions beyond the walls of the 'white box' could only be more public and approachable [1]. Conventional methods of presenting artworks such, as the use of large plinths, were gradually abandoned in favor of a closer relationship between sculpture and viewer. Minimalist artists were among the first in the 70s to present their work not only plinthless, but directly on the surface of the square, the street or the park [2]. With hindsight it is hard to imagine the impact of this move. Large, space-forming pieces that could be entered, sat on and touched —Christo's famous wrappings or Serra's prominent Cor-ten steel sculptures— had, for better or worse, a great effect on people. Although now within easy reach, the scale of most of these early pieces was still forbidding. But the first move was made and the base laid for a less elitist artistic attitude.

Site-specific art in non-institutional spaces

Changes could also be observed in museum architecture. The temples of culture began to shed their intimidating air of superiority and tried to incorporate the daily flow of people, activities and movements outside their gates [3]. Gift shops, bookstores and restaurants were added to the institutions to draw and hold a wider range of visitors. Additional workshops, courses and classes were intended to extend the mission of the museum beyond art with a capital A. Increasingly, exhibitions were held in public, non-institutional places in a deliberate challenge to the rarefied aura of the traditional museum.

By the 1980s the museum had been demystified. The process of democratization in the era of postmodernism led to a re-evaluation of user and context. Attention shifted away from autonomous and self-referential artworks and began to move in a user-inclusive direction. Artists began to question both the form of their work and the context in which it was presented. Arbitrarily placed, autonomous sculptures in urban spaces were condemned as 'drop' or 'plop' sculptures. Site-specific work was to replace the indiscriminate use of art as a colorful complement to urban housing. Werner Fenz, the Austrian curator of the 'Steirischer Herbst' in Graz in 1988 felt that public art must fulfil a function that related to the specific location of the piece. He envisaged art that would enhance the

Hacia una percepción sensual del espacio

Clegg & Guttmann, biblioteca pública
al aire libre, Mainz, Ubicación 2, 1994.
*Clegg & Guttmann, Open-Air Public
Library, Mainz, Location 2, 1994.*

4

5

Christian Hasucha, *Sistema B*,
estación de trenes de Colonia, 1992.
*Christian Hasucha, System B,
Cologne Train Station, 1992.*

autorreferenciales y autónomas para empezar a moverse en una dirección que incluyera al usuario. Los artistas comenzaron a plantearse tanto la forma de su obra como el contexto en el que las presentaban. Las esculturas autónomas, colocadas arbitrariamente en los espacios públicos, fueron tachadas de obras acontextuales, que parecían haberse dejado caer en cualquier sitio. La obra *site-specific* iba a sustituir el uso indiscriminado del arte como complemento pintoresco del tejido urbano. Werner Fenz, el comisario austriaco del *Steirischer Herbst* celebrado en Graz en 1988, consideró que el arte público debía cumplir una función asociada a la ubicación específica de la obra. Imaginó un arte que realzara la naturaleza, el espacio, la historia y el contexto social específicos del lugar. Para su exposición *Bezugspunkte 88* —cuyo tema era la inocencia y la culpa en el arte—, pidió explícitamente a los artistas que incluyeran y reflexionaran sobre: a) el motivo de la exposición —el 50 aniversario de la anexión de Austria por parte de Hitler—; y b) el lugar —Graz como punto y lugar de conexión de la propaganda nazi—. Instaba a que el arte asumiera una responsabilidad social. Otros comisarios, como el grupo que organizó *Places of the Past* (Festival Spoleto de Charleston, 1991), se aseguraron de que los artistas incorporaran en su obra la significación histórica y social del lugar como condición del contrato.

Para muchos comisarios y artistas, este interés contextual fue más allá del espacio arquitectónico de la ciudad hasta incluir al propio público. El arte había provocado un cambio de intención y contenido que invadió incluso los lugares más privados de la ciudad: los hogares. En 1986, en Gante, Jan Hoet realizó una exposición titulada *Chambres des Amis* en la que se exhibía arte público en espacios privados. Cincuenta y un artistas de fama internacional fueron invitados a transformar y tomar posesión de una residencia privada concreta y sus habitantes. Las intervenciones resultantes estuvieron "expuestas" durante dos meses. La combinación de ámbito privado y visión pública salpicada de placer *voyeurista* convirtió este concepto para una exposición de arte en una receta a repetir. En 1988, Santa Bárbara (EEUU) fue la sede de una exposición colectiva titulada *Home Show* que perseguía igualmente ampliar el espacio de exposición institucional. *Zimmer Denkmäler* (Bochum, 1995), una exposición en torno a los ciudadanos judíos de Bochum en el exilio, discurría también en casas particulares. Sin embargo, a diferencia de otras exposiciones, los ciudadanos de Bochum que

ofrecieron sus hogares como espacio de exposición procedían de un abanico cultural más amplio: el criterio de selección no se limitaba al prototípico coleccionista de arte. En 1996, en Santa Bárbara, se volvió a montar *Home Show Number 2*. En esta ocasión, se amplió el número de casas y propietarios de la primera muestra incluyendo una más amplia variedad de formas de "hogar" y "vida familiar". El resultado final fue una colección de lugares que iban desde las típicas casas de clase media con un pequeño jardín y garaje o céntricos hoteles para jubilados, a caravanas o un aparcamiento junto a la playa.

Convencidos de que el arte había sido hasta entonces demasiado exclusivo y elitista, los artistas empezaron a trabajar en lugares "públicos" alejados de los límites tradicionalmente más intelectuales y físicos del arte. Los espacios empleados comúnmente por la escena artística contemporánea pueden ser tan variados como hospitales, cruces de carretera, [4] viviendas públicas y cárceles. Se pueden encontrar instalaciones en escuelas, iglesias, hoteles —la exposición de arte que cada año se celebra en las habitaciones del Hotel Majestic de Barcelona estuvo precedida por las instalaciones realizadas por Rebecca Horn en 1992 en el Hotel Peninsular— y supermercados. Los artistas han empezado incluso a concebir lugares no espaciales para sus proyectos, como la radio, la televisión, los periódicos o Internet. Sus señalizaciones, acciones o instalaciones de luz y sonido se hallan ubicadas en puntos estratégicos de la ciudad, en lugares frecuentados por la gente. Cualquier técnica o material que ayude a orquestar y potenciar las cualidades inherentes del lugar, resulta adecuado. Tal y como sugirió Fenz hace unos pocos años, los artistas están empezando a convertir los aspectos naturales, sociales y políticos existentes de un lugar en parte integral de la obra.

El arte *site-specific* persigue poner de relieve la percepción consciente del lugar y ratificar los tópicos lazos entre el lugar y su contexto concreto. En *System B*, [5] de Christian Hasucha, por ejemplo, veinte actores zigzaguean por entre cuarenta pequeñas señalizaciones en el suelo. La pieza dura dos horas y debe armonizar los flujos de transeúntes. Este *happening*, que el artista denomina "intervención pública", se caracteriza por la ausencia de invitación o información explicativa alguna, por un *vernissage* inexistente, por la falta de visitantes y por la inexistencia de ventas. La infiltración y absorción de cierto arte *site-specific* en nuestra vida diaria pueden ser tan absolutas que resulte difícil

Towards a sensual space perception

specific nature, space, history or social context of the place. For his show 'Bezugspunkte 88' —the theme was innocence and guilt in art— he explicitly asked the artists to reflect upon and to incorporate: a) the occasion of the show (the 50th anniversary of Hitler's annexation of Austria); b) the place (Graz as a connection point and site of Nazi propaganda). He was pushing to make art assume a social responsibility. Other curators, like the group involved in 'Places of the Past' (Charleston's Spoleto Festival, 1991), assured that artists would incorporate the social and historic significance of the place in their work by making it a term of their contract.

For many curators and artists this contextual interest extended beyond the architectonic space of the city to the public itself. Art had produced a shift of intention and subject matter, which invaded even the most private places of the city - people's homes. In 1986 in Ghent, Jan Hoet realized a show called 'Chambres des Amis', which exhibited public art in private spaces. Fifty-one internationally known artists were invited to take possession of and transform an allocated private residence and its inhabitants. For two months the resulting interventions were on 'show'. The combination of private realm and public view peppered with a voyeuristic delight made this curatorial concept for an art show a recipe to be repeated. Santa Barbara (USA) hosted a group exhibition called the 'Home Show' in 1988, which equally sought to expand the institutional exhibition space. 'Zimmer Denkmäler' (Bochum, 1995), a show that concerned itself with the Jewish citizens of Bochum in exile, was also staged in private homes. In contrast to the other shows however, the citizens of Bochum who offered their homes as an exhibition space came from a wider range of backgrounds; the selection criterion was not limited to the prototypical art collector. 'Home Show Number 2' was restaged in Santa Barbara in 1996. It expanded its choice of homes and home-owners from the first exhibit by including as many forms of 'home' and 'home life' as possible. The end-result was a collection of sites that ranged from middle-class tract homes and downtown retirement hotels to trailer parks and a beach-side parking lot.

Believing that art to date was too exclusive and elitist, artists began to work in 'public' places far from art's more traditional physical and intellectual boundaries. Spaces commonly used in the contemporary art scene can be as varied as hospitals, traffic junctions, [4] public housing and pris-

ons. Installations can be found in schools, churches, hotels —the yearly art show in the rooms of Barcelona's Hotel Majestic were preceded by Rebecca Horn installations in the Hotel Peninsular in 1992— and supermarkets. Artists have even begun to conceive of non-spatial sites for their projects, like radio, television, newspapers and the Internet. Their markings, actions, light and sound installations are located in strategic points within the city, places frequently used by people. Any techniques and materials that help to orchestrate and potentialize the inherent qualities of the site are appropriate. Just as Fenz had suggested a few years earlier, artists are beginning to make existing spatial, natural, social and political aspects of a place an integral part of the work.

Site-specific art aims to emphasize the conscious perception of the place and to affirm the topical links between the site and its particular context. Christian Hasucha's System B [5] for instance, has twenty actors weave in and out of forty small markings on the ground. The piece lasts for two hours and is to harmonize streams of passers-by. This happening, which he calls a "public intervention", is distinguished by the absence of any invitation or explicatory information, a non-existent vernissage, the lack of visitors, and no sales. The infiltration and absorption of some site-specific art in our daily lives can be so complete that it becomes difficult to find the artwork. When found, it is often impossible to distinguish it from a common everyday object.

The artist builds

In her introduction to 'Frontiers of Art and Architecture', Maggie Toy begins her summary of the differences and similarities between art and architecture by reciting the traditional view that the restrictions of a program separate the architect from the possibilities of artistic license. On the other hand, she describes art as "an indulgent obsession which, whilst reaching the emotions of many, will not restrict and alter the working and living patterns of those experiencing it." [2] In the context of the current generation of artists choosing to work in non-institutional spaces this statement must be revised. The move from the museum to the street, from an institutional space to a public or non-institutional one, has transformed both the artwork and the role of the artist. The possibility of defining a place not only physically but through references to its history, political significance or its relevance for a certain ethnic

Hacia una percepción sensual del espacio

Erwin Heerich,
Torre Hombroich, 1985.
Erwin Heerich,
Tower Hombroich, 1985.

6 7

Gerhard Merz, oficina y
almacén en Dresde, 1997.
Gerhard Merz, Office and
Depot in Dresden, 1997.

descubrir la obra de arte. Una vez descubierta, a menudo es imposible distinguirla de un objeto común y corriente.

El artista construye

En su introducción a *Frontiers of Art and Architecture*, Maggie Toy inicia su texto sobre las diferencias y semejanzas entre el arte y la arquitectura citando la idea tradicional de que las limitaciones de un programa alejan al arquitecto de las posibilidades de la licencia artística. Por otro lado, describe el arte como "una obsesión indulgente que, si bien llega a las emociones de muchos, no limitará ni modificará los hábitos de vida y de trabajo de aquellos que lo experimentan".[2] Hay que revisar semejante afirmación en el contexto de la actual generación de artistas que han escogido trabajar en espacios no institucionales. El paso del museo a la calle, de un espacio institucional a uno de carácter público y no institucional, ha transformado tanto la obra de arte como el papel del artista. La posibilidad de definir un lugar no sólo físicamente sino mediante referencias a su historia, a su significación política o a su importancia para un cierto grupo étnico provoca que los artistas definan nuevos papeles más "públicos" para sí mismos. En teoría, el artista "público" contemporáneo tiende a no concebir y crear sus obras tridimensionales en el entorno protegido de su taller. Trabaja *in situ* y analiza condiciones básicas del emplazamiento como la escala, el usuario o el potencialmente complejo carácter del contexto. Dado que el éxito de la obra depende de la recepción del observador, a quien ahora se dirige la atención del artista, es importante que se defina escrupulosamente el carácter del lugar y de su usuario y que se calcule bien el efecto. Si su obra busca dirigirse a la gente que frecuenta el lugar en cuestión, integrarse de verdad y estar "en contexto", el artista debe convertirse en coordinador, político, diseñador y sociólogo a fin de alcanzar su objetivo. Su papel es ahora multifuncional; su trabajo interdisciplinar, lo mismo que la de su homólogo el arquitecto.

El artista ha ampliado su vocabulario de trabajo tradicional y ha empezado a crear interiores, ambientes, instalaciones y estructuras configuradoras de espacio. Su metodología y herramientas se han adaptado a las nuevas necesidades y sus fuentes de referencia incluyen ahora la ciencia, la biología, la construcción, la iluminación, la decoración, el sonido, la moda, el cine y la informática. En este contexto, no sorprende en modo alguno que los artistas también hayan empezado a construir. El escultor alemán Erwin Heerich ha realizado una serie de pabellones permanentes y espacios de exposición autónomos para el Museuminsel de Hombroich, cerca de Düsseldorf [6]. Jorge Pardo, el artista americano, ha construido una casa en Los Ángeles tras haber diseñado muchos interiores, iluminación y mobiliario incluidos. Gerhard Merz es otro artista que empezó su carrera como pintor y que recientemente ha finalizado una oficina y un almacén para la empresa Siegfried Heimer de Dresde [7]. A Per Kirkeby, que combina la disciplina del pintor con la del escultor, también le ha dado por construir. En su Dinamarca natal proyectó un museo para una colección de minerales en Skaerum y una casa de campo para unos amigos en Laeso, ambos construidos en 1995. Actualmente está trabajando en el proyecto de una escuela de música. La transición de una instalación efímera a una construcción permanente es fluida; la diferencia entre hacer estructuras para un uso público y construir una casa es pequeña. Ambas actividades están relacionadas con el espacio y la psicología de su uso. La "casa" representa una necesidad básica de refugio. Nuestro hogar es una combinación de necesidad existencial, sueño personal, rutina diaria y universo privado. Dormimos, comemos, realizamos actividades íntimas y trabajamos en casa. Su tamaño, función y carga simbólica la convierten en un tema deseable tanto para arquitectos como para artistas.

La frontera entre el arte y la arquitectura comienza a desdibujarse en la medida en que ambas disciplinas se inspiran en la personalidad y las necesidades de los futuros habitantes y en la naturaleza del lugar.

De la durabilidad a la transitoriedad

El arte ha abandonado el museo en busca de un público más amplio. El aumento del número de ubicaciones posibles para exhibir la obra, al igual que la ampliación del público potencial, ha llevado a una mayor presencia "pública" del arte y del artista. La arquitectura es, por definición, pública; y el arquitecto, el nexo de unión entre el cliente y la comunidad. Sin embargo, la arquitectura también está sufriendo cambios. Aunque los motivos del cambio sean otros, el modelo a seguir no es diferente de las recientes adaptaciones del mundo del arte.

En nuestras ciudades contemporáneas, el arquitecto se enfrenta a una situación cada vez más compleja. La velocidad de cambio en las metró-

Towards a sensual space perception

group —makes artists define new and more 'public' roles for themselves. Ideally, the contemporary 'public' artist tends not to conceive and create his three-dimensional works in the protected environment of his studio. He works 'on site', analysing basic site conditions like scale, user and the potentially complex character of the context. As the success of the piece is dependent on the reception of the beholder to whom the artist's attention has shifted, it is important that the nature of the place and its user are carefully defined and the effect well-calculated. If his art piece intends to address the people who frequent the place in question and be truly integrated and 'in context', then the artist must become a co-ordinator, politician, designer and sociologist to achieve his aim. His role has become multifunctional. His practice is inter-disciplinary, not unlike his counterpart —the architect.

The artist has extended his traditional work vocabulary and has begun to create interiors, environments, installations and space-defining structures. His methodology and tools have adapted to the new requirements and his reference sources now incorporate science, biology, construction, lighting, decoration, sound, fashion, film and computers. Within this context it is hardly surprising that artists have also begun to build. German sculptor Erwin Heerich has created a series of permanent pavilions and free-standing exhibition spaces for the Museumsinsel Hombroich, near Düsseldorf [6]. Jorge Pardo, the American artist, has built a house in Los Angeles, after having created many interiors with lighting and furnishings included. Gerhard Merz is another artist who began his career as a painter and has just finished an office and depot building for the company Siegfried Heimer in Dresden [7]. Per Kirkeby, who combines the disciplines of a painter with that of a sculptor, has also taken to building. In his Danish homeland he designed a museum for a stone collection in Skaerum and a holiday home for friends in Laeso, which were built in 1995. Currently he is working on the plans for a music school.

The transition from an ephemeral installation to a permanent construction is fluid and the difference between making structures for public use and building a private house is small. Both deal with space and the psychology of its use. The 'house' represents a fundamental need for shelter. Our home is a combination of existential need, personal dream, daily routine and private universe. We sleep, eat, engage in intimate activities and work at home. Its size, function and symbolic charge make it a desirable theme both for architects and artists.

Borders between art and architecture begin to blur as both disciplines draw inspiration from the personality and needs of future inhabitants and the nature of the site.

From durability to transience

Art has left the museum in the search of a wider audience. The extension of possible locations for showing work and the related expansion of a potential audience has led to a greater 'public' presence of art and the artist.

Architecture is by its very definition public, and the architect the link between the client and the community. But architecture is also going through changes. Although the reasons for change are different, the pattern is not unlike the recent adaptations of the art world.

The architect is faced with an increasingly complex situation in our contemporary cities. The speed of change in the metropolis has undermined any hope of a homogeneous and controlled urban ensemble. The unexpected, multifunctional and ever-growing diversity of our cities defeats traditional attempts at systematization and urban planning. Cities grow at such a pace that today's intervention can be irrelevant by tomorrow. Fluctuations in property prices effect the use and life-span of buildings. The sheer density of citizens and their differing needs make the attempt to order and classify them difficult. Town centers empty as citizens and companies leave for places having lower costs and less crime. People move and change house at a rate that makes social and communal adhesion impossible.

This contradiction between the instability of the metropolis and the durability of architecture has raised a lot of questions about the nature and direction of architecture. In Rem Koolhaas's Delirious New York the theoretician/architect examined the condition of the contemporary city, using New York as his example. For him, Manhattan represented the prototype of a metropolis in ordered chaos —a city of planned uncertainty, somewhere between demarcation and freedom. The subject of his book is the contradiction between the immobile and representational character of architecture and the fluid dynamics of the city and its dwellers. Such dynamics, he finds, assert themselves upon a planned

Hacia una percepción sensual del espacio

Gordon Matta-Clark,
Intersección cónica, París, 1975.
Gordon Matta-Clark,
Conical Intersect, *Paris, 1975.*   8   9

Haus-Rucker-Co,
Plano inclinado, Viena, 1976.
Haus-Rucker-Co,
Sloping plane, *Vienna, 1976.*

polis ha superado la esperanza depositada en un conjunto urbano controlado. La diversidad inesperada, multifuncional y en constante crecimiento de nuestras ciudades frustra las tentativas tradicionales de sistematización y planificación urbana. Las ciudades crecen a un ritmo tal que la intervención de hoy puede ser irrelevante mañana. Las fluctuaciones en el precio de la propiedad afectan al uso y la vida útil de los edificios. La mera densidad de ciudadanos y sus distintas necesidades dificultan el intento por ordenarlos y clasificarlos. Los centros de las ciudades se van vaciando a medida que los ciudadanos y las empresas los abandonan por lugares más baratos y con menos delincuencia. El ritmo con que se cambia y se muda de casa hace imposible la cohesión comunitaria y social.

Esta contradicción entre la inestabilidad de la metrópolis y la durabilidad de la arquitectura ha planteado numerosas preguntas acerca de la naturaleza y la dirección de la arquitectura. En *Delirious New York* de Rem Koolhaas, este teórico/arquitecto examina la condición de la ciudad contemporánea, tomando como ejemplo Nueva York. Para él, Manhattan representa el prototipo de ciudad que vive en un caos ordenado, una ciudad de incertidumbre planificada a medio camino entre la demarcación y la libertad. El tema de su libro es la contradicción entre el carácter figurativo e inmóvil de la arquitectura y la fluida dinámica de la ciudad y sus habitantes. Según el autor, semejante dinámica se impone por encima de una arquitectura planificada, razón por la cual esta última se ve irremisiblemente anegada por la corriente urbana. Koolhaas propone canalizar los procesos mediante la concentración de las redes de transporte, comunicación e información en grandes construcciones de la periferia. Para respaldar su enfoque urbanístico afirma: "Dado que en la actualidad la construcción ha pasado a ser incontrolable, debemos trabajar para controlar el vacío".[3] La planificación arquitectónica debe liberarse para albergar y hacer sitio a lo "inesperado".

Arquitectura reactiva

El llamamiento a una arquitectura reactiva y menos permanente para edificios que no representan un orden formal y sólido, sino que responden a la realidad de la vida de la calle, no era nada nuevo. En los años setenta, el americano Gordon Matta-Clark y el grupo de arquitectos austriacos Haus-Rucker-Co experimentaron con la transforma-

ción constante del espacio arquitectónico. El objetivo del grupo Anarchitecture de Gordon Matta-Clark era liberar a la arquitectura de su solidez estática, convirtiéndola en un instrumento capaz de adaptarse a cualquier situación cultural y social determinada. Idearon una arquitectura que pudiera transformarse conforme a la fluctuante vida urbana. Gordon Matta-Clark, arquitecto de profesión, rechazaba la idea convencional de arquitectura porque sentía que la disciplina descansaba sobre lo estable e inmutable. Ello, a su modo de ver, se hallaba en directa contradicción con la manera real de utilizar el espacio: era fluctuante, multifuncional y cambiante. "Nuestras ideas sobre la arquitectura son más fugaces que la realización de piezas que demuestren una actitud alternativa a la construcción o, mejor dicho, a las actitudes que determinan la *contenerización* del espacio útil. Pensamos más en vacíos metafóricos, huecos, espacios sobrantes, lugares por urbanizar… Por ejemplo, los lugares donde te detienes para atarte los zapatos, lugares que son sólo interrupciones en nuestros movimientos diarios".[4]

Sus intervenciones experimentales tenían lugar por lo general en edificios corrientes, con emplazamientos nada espectaculares. Su valor fundamental, por lo que respecta a Gordon Matta-Clark, residía en su cualidad *"non-u-mental"*.[5] Su planteamiento de la arquitectura era escultórico. Solía cortar y rebanar las casas, siendo el edificio su materia prima. En *Intersección cónica* [8], de 1975, recortó formas circulares en las paredes, suelos y techos de una vivienda abandonada de París, creando una inserción negativa, parecida a un periscopio, que culminaba en un agujero de cuatro metros de diámetro en la fachada de la casa que daba al Centro Pompidou. Este recorte transformó el antiguo espacio doméstico y conectó su interior de niveles superpuestos con la calle. Este método de creación de espacios invirtió el proceso de construcción convencional: el espacio nuevo se creaba sustrayendo del viejo. Matta-Clark opinaba que lo mejor era dejar que los espacios se revelaran de este modo.

Por la misma época, el grupo de arquitectura Haus-Rucker-Co trabajaba en su propia versión de arquitectura reactiva. Creían que la única respuesta posible al flujo incontrolable de la condición urbana era la introducción de estructuras provisionales que reemplazaran a las permanentes. De este modo, para cuando las condiciones sociales llamaran a un cambio, el sustituto debería ser una arquitectura menos costosa y más provisional. A su modo de ver, ya hacía tiempo que la "arquitectura

Towards a sensual space perception

architecture, causing it to drown helplessly in the urban current. Koolhaas proposes the channelling of processes by amassing transport, communication and information networks in large building structures at the periphery. In support of his planning approach, he states: "As building has become uncontrollable by now, we must work towards controlling the void."[3] Architectural planning must free itself to make space for, and accommodate, the 'unexpected'.

Reactive architecture

The call for a reactive, less permanent architecture, for buildings that do not represent a solid and formal order but rather respond to the reality of street life was not new. In the 1970s the American Gordon Matta-Clark and the Austrian architecture group Haus-Rucker-Co experimented with architectural space in permanent transformation. The objective of Gordon Matta-Clark's 'Anarchitecture' group was to rid architecture of its static solidity, converting it into an instrument that could adapt itself to any given social and cultural situation. They imagined an architecture that would be able to transform itself in accordance with fluctuating urban life. Gordon Matta-Clark, himself an architect, rejected the conventional idea of architecture because he felt that the discipline relied on the stable and unchangeable. For him, this was in direct contradiction to the way public space was actually being used: it was fluctuating, multifunctional and ever-changing. "Our thinking about architecture is more elusive than doing pieces that would demonstrate an alternative attitude to building, or, rather to the attitudes that determine containerization of usable space. We are thinking more about metaphoric voids, gaps, left-over spaces, places that were not developed... For example, the places where you stop to tie your shoelaces, places that are just interruptions in our own daily movements."[4]

His experimental interventions generally took place in commonplace buildings with unspectacular sites. Their fundamental value, as far as Gordon Matta-Clark was concerned, lay in their "non-u-mental"[5] quality.

His approach to architecture was a sculptural one. Typically, he would carve and slice houses, working with the building as his raw material. In Conical Intersect [8], from 1975, he cut round shapes into the walls, floors and ceilings of a derelict dwelling in Paris, creating a periscope-like negative insert which culminated in a large four-meter-diameter hole in the facade of the house facing the Centre Pompidou. The old domestic space was transformed by this cutout, and its layered interior connected to the street. This method of making spaces inverted the conventional construction process: new space was created by subtracting from the old. Matta-Clark believed that it was best to allow spaces to reveal themselves in this way.

At about the same time, the architectural group Haus-Rucker-Co worked on their own version of reactive architecture. They saw the only possible answer to the uncontrollable flux of the urban situation in the introduction of provisional structures to replace permanent ones. Thus, a less costly and provisional architecture should stand in when social conditions called for a change. As far as they were concerned the 'everyday architecture' of signposts, traffic signals and advertising hoardings had long surpassed classic architecture. Not architects and planners but advertising agencies and billboard designers were giving our cities their look and identity. Architecture, according to Haus-Rucker-Co, would be reduced to a supportive function of an espalier —an armature on which the growth of information signals could expand. "Our context is the hastily built city... noble, historic architecture as a reference for our standards and requirements is irrelevant. The lost identity cannot be found in the historic Italian model, if anything, the identity must be developed through the media of our times."[6] The group's proposed ephemeral structures were to transmit or stimulate a new experience of the known urban context and thus change our perception of everyday surroundings [9].

The solutions the group outlined were specific experiments emphasizing the ephemeral nature of architecture. In his 1983 journal, co-founder Günter Zamp Kelp wrote of the group's fascination with New York's derelict West Side Highway.[7] This important arterial road along Manhattan's West Side had fallen into disrepair and had been closed off in the early 70s. And so the empty motorway was converted into a stage for the improvised activities of the citizens. The road had become a sundeck, a jogging path, a cycle track and a place for picnic parties with a view of the Hudson and New Jersey. The actors (as they called the city-dwellers) used themselves (their bodies and actions) to transform the functions of this large strip of concrete. The highway was a naturally

Hacia una percepción sensual del espacio

Yves Klein, *Salto en el vacío*,
París, 1960.
Yves Klein, Leap into the Void,
Paris, 1960.
10

cotidiana" de postes indicadores, señales de tráfico y vallas publicitarias había superado a la arquitectura clásica. No eran los arquitectos ni los urbanistas sino las agencias de publicidad y los diseñadores de vallas publicitarias quienes otorgaban a nuestras ciudades su fisonomía e identidad. La arquitectura, según Haus-Rucker-Co, iba a quedar reducida, como una espaldera, a su función de apoyo —un armazón en el que podría expandirse el crecimiento de las señales informativas. "Nuestro contexto es la ciudad construida apresuradamente […] la arquitectura histórica y noble es irrelevante como referencia para nuestros principios y necesidades. La identidad perdida no se puede hallar en el modelo histórico italiano; antes bien hay que promover esta identidad a través de los medios de nuestra época".[6] Las estructuras efímeras propuestas por el grupo debían transmitir o estimular una experiencia nueva del contexto urbano conocido y, en consecuencia, cambiar nuestra percepción del entorno cotidiano [9].

Las soluciones esbozadas por el grupo consistían en experimentos concretos que acentuaban el carácter efímero de la arquitectura. En su diario de 1983, el cofundador Günter Zamp Kelp escribió acerca de la fascinación que sentía el grupo por la abandonada West Side Highway de Nueva York.[7] Esta importante arteria del West Side de Manhattan se había ido deteriorando hasta que fue cerrada al tráfico a comienzos de los años setenta. Por consiguiente, esta autopista vacía se transformó en escenario de las actividades improvisadas de los ciudadanos. La carretera se había convertido en solarium, zona de *jogging*, velódromo y en área para *picnics* con vistas al Hudson y Nueva Jersey. Los actores (tal y como llamaban a los habitantes de la ciudad) se servían de sí mismos (su cuerpo y sus acciones) para transformar las funciones de esta larga franja de asfalto. La autopista era precisamente un ejemplo que se presentaba de forma natural, de la clase de arquitectura provisional por la que abogaba Haus-Rucker-Co. A su modo de ver, la arquitectura debería cumplir una función de apoyo en lugar de desempeñar un papel protagonista. Sería la gente —y no el arquitecto o la naturaleza de la estructura— quien definiría el uso y el carácter de lo construido.

Arquitectura y movimiento

El concepto de la experiencia del espacio ligada íntimamente al uso y al movimiento se conforma como una idea central en los *happennings* a finales de los años sesenta. El *performace art*, un género que incluía obras como las de Yves Klein [10], era un intento de equilibrar lo que para algunos era un concepto de arte demasiado elitista. En el *performace art*, la idea y la experiencia se unían en una acción o acontecimiento espontáneos. Chris Burden, por ejemplo, se hizo disparar por un amigo en el brazo a fin de implicar al público (de una galería de Los Ángeles) mediante su no intervención. En esta *performance*, el artista creó la pieza con su cuerpo, su movimiento y su acción. El arte, en este caso, no era una entidad abstracta, sino algo para ser sentido y experimentado. Debía causar un impacto físico directo y comunicar "una conciencia intensa de la vida".[8] Hermann Nitsch y Marina Abramovitch fueron otros artistas de la época que, a través de obras en los que sus cuerpos no sólo eran lienzos sino también contenido, reintrodujeron el cuerpo humano como elemento vital para la percepción arquitectónica y artística del espacio. El *happening* se percibía de modo sensual, y el espacio donde se desarrollaba era articulado y definido por el movimiento.

El teórico y arquitecto Bernhard Tschumi consideró asimismo de máxima importancia la materialización del movimiento en el espacio. "La premisa básica de nuestro trabajo de los últimos quince o veinte años", escribió, "es que no existe arquitectura sin acción, programa y acontecimiento. La arquitectura debe ocuparse del movimiento y la acción en el espacio".[9] En 1982 ganó el concurso para el diseño y la reurbanización del Parc de la Villette de París. Su proyecto ganador llevaba la desintegración de la arquitectura tradicional —los estables edificios objeto— un paso más lejos. Tschumi disolvió la unidad estática del edificio al convertir el movimiento en un componente clave de la estructura formal. El parque y sus edificios debían ser experimentados de modo sucesivo. Ningún lugar concreto del parque ofrecería una perspectiva general del conjunto arquitectónico. El visitante debe descubrir La Villette recorriendo el parque de una *follie* a otra. Sin embargo, cada vista será siempre fraccionaria. No debe haber ningún todo perceptible. La propuesta de Tschumi se opone de modo directo al orden de la arquitectura clásica que impone de principio a fin un canon formal coherente. En el estilo clásico, donde cada parte está relacionada con el todo, no hace falta explorar todo el edificio para comprenderlo. La primera visión sitúa la estructura en nuestro sistema de referencia. No hay ningún cambio drástico en contenido o contexto, antes bien, hallamos

Towards a sensual space perception

occurring example of just the sort of provisional architecture Haus-Rucker-Co were advocating. As they saw it, architecture would have to fulfil a support function rather then a leading role. People —rather than the architect or the nature of the structure— would define the use and character of what was built.

Architecture and movement

The art 'happenings' of the late 60s had already left a legacy in which the experience of space was closely linked to use and movement. Performance art, a genre which included works such as those by Yves Klein [10], was an attempt to counterbalance what some felt to be an overly elitist concept of art. In performance, idea and experience were joined in a spontaneous action or event. Chris Burden, for example, had a friend shoot him in the arm to implicate the audience (in a gallery in Los Angeles) through their failure to intervene. In this performance, the artist created the piece with his body, movement and action. Art, in this case, was not an abstract entity but something to be felt and experienced. It was to have a direct physical impact and to communicate "an intense awareness of life." [8] Hermann Nitsch and Marina Abramovitch were other artists of the period who, through work in which their own bodies were not only canvas but subject matter, reintroduced the human body as a vital element in the architectural and artistic perception of space. The happening was perceived in a sensual way, the space in which it took place was articulated and defined by movement.

The theoretician and architect Bernhard Tschumi also emphasized the materialization of movement in space as being of utmost importance. "The basic premise of our work over the last 15 to 20 years," he wrote, "is that there is no architecture without action, program and event. Architecture must deal with movement and action in space." [9] In 1982 he was awarded the commission to design and redevelop Paris's Parc de la Villette. His competition-winning design took the disintegration of the traditional architecture —the secure object buildings— one step further. Tschumi dissolved the static building unit by making movement a crucial component of the formal structure. The park and its buildings needed to be experienced successively. No particular place within the grounds would offer an overview of the whole architectural ensemble. The visitor must discover La Villette by passing through the grounds from one folly to another. But each view will always be fractional. There would be no perceivable whole. Tschumi's approach stands in direct opposition to the classic architectural order in which a coherent formal canon is imposed throughout. In the Classical style, where each piece relates to the whole, there is no need to explore the entire building to understand it. The first view will position the structure in our reference system. Entering, we already know what kind of interior we are likely to find. There will be no drastic change in content or context, we will instead find progressively detailed variations on the main theme. We never lose sight of the omniscient larger order, our experience of it is simultaneous. At La Villette, in contrast, the concept of the incomplete view is applied throughout the project so as to guarantee a growing momentum of movement and surprise. In such projects "the dark corners of experience are not unlike a labyrinth where all sensations, all feelings are enhanced, but where no overview is present to provide a clue about where to get out." [10] That is, the experience is layered and sequential. Partial views are moments in a floating choreography. Time and rhythm are the key aspects of this spatial experience.

The catalyst

The search for a new language in architecture replaced the conventional static definition of space with a dynamic one. In this new 'reactive' architecture the building becomes a place of exchange, its structure permeable. These days architecture is more interested in the reasoning behind an object or action and its effect on us, than its symbolic representation. We scrutinize what surrounds us, and it is the scrutiny itself that we value. The route to the finished design is more significant to us than the final product, the process more important then the result. We are less interested in the beginning or the end, than in the progress that leads from one to the other.

For Gordon Matta-Clark the built environment was made up of a series of "occurrences". Haus-Rucker-Co called these very same incidents "experiences". Bernhard Tschumi defined our man-made surroundings as a series of "events" and Rem Koolhaas wrote of them as "voids" in which the unexpected manifests itself. All these definitions have one thing in common: they do not refer to a finished object but instead describe a sequence of actions. Architecture can no longer be a homoge-

Hacia una percepción sensual del espacio

Peter Nemetschek, *Habitante I*,
Múnich, 1970-1995.
Peter Nemetschek, Inhabitant I,
Munich, 1970-1995. 11

de forma progresiva variaciones detalladas del tema principal. Nunca perdemos de vista el orden principal omnipresente, pues lo experimentamos de modo simultáneo. En La Villette, por el contrario, se aplica el concepto de visión fragmentaria en todo el proyecto con objeto de garantizar un impulso creciente de movimiento y sorpresa. En semejantes proyectos, "los rincones oscuros de la experiencia se asemejan a un laberinto, donde todas las sensaciones, todos los sentimientos, aumentan, pero donde no existe una perspectiva general capaz de proporcionar una pista de la salida".[10] O sea, la experiencia es facetada y secuencial. Las vistas parciales son momentos de una coreografía flotante. El tiempo y el ritmo constituyen aspectos clave de esta experiencia espacial.

El catalizador

La búsqueda de un lenguaje nuevo en arquitectura reemplazó la definición estática convencional de espacio por una de dinámica. En esta nueva arquitectura "reactiva", el edificio se convierte en un lugar de intercambio, y su estructura en permeable. En la actualidad, la arquitectura está más interesada en el concepto que subyace a un objeto o acción y en el efecto que surte en nosotros que en su representación simbólica. Escudriñamos lo que nos rodea, y es justo este examen lo que valoramos. Nos resulta más significativo el proceso que conduce al proyecto acabado que el propio producto final, el camino es más importante que el resultado. Estamos menos interesados en el principio o el final que en la evolución que lleva de uno a otro. Para Gordon Matta-Clark, el entorno construido se componía de una serie de "ocurrencias". Haus-Rucker-Co denominó estos mismos episodios "experiencias". Bernhard Tschumi definió nuestro entorno artificial como una serie de "acontecimientos", mientras que Rem Koolhaas los describió como "vacíos" en los que se manifiesta lo inesperado. Todas estas definiciones tienen algo en común: no aluden a un objeto acabado sino que describen una secuencia de acciones. La arquitectura ya no puede ser una unidad homogénea que representa a un todo. Tan sólo puede entenderse como una serie de fragmentos unidos entre sí por la persona que los experimenta. La llamada a una arquitectura flexible e interactiva ha restablecido un elemento obvio, aunque olvidado durante mucho tiempo, en la proyección y construcción de edificios: las personas. Si la arquitectura sólo puede comprenderse recorriéndola, únicamente

puede existir si tiene un uso. Si apelamos a la planificación urbana para que haga sitio a lo inesperado, entonces ello debe entenderse como un llamamiento a preparar el terreno para la interacción humana espontánea. El usuario es, una vez más, el vínculo entre la idea y la realidad física y el catalizador en la creación del espacio.

Tanto el arte como la arquitectura han roto sus moldes históricos. Buscan la inspiración en nuestra cotidianidad y en nuestros sueños [11]. Todos somos ahora objetos de deseo. Se analizan nuestras rutinas diarias, y la menor aventura es objeto de investigación. Se investigan nuestras historias y se anotan nuestros deseos. Lo común se ha convertido en algo socialmente aceptable. Lo no heroico está de moda. La arquitectura ya no crea estructuras emblemáticas para que sean admiradas, sino lugares para ser utilizados, sentidos y experimentados. El arte ha sustituido el "objeto" para ser contemplado por el "entorno", para ser sentido. La cualidad de una obra de arte o de arquitectura se mide ahora por lo bien que se ajusta al usuario. El espectador es un participante activo de la misma obra. Su percepción de la obra está irrevocablemente vinculada a la experiencia sensual. En arte y arquitectura, la relación entre teoría y práctica, entre razón y experiencia física, se ha vuelto a definir.

[1] Gerhard Bott, en *Das Museum der Zukunft*, Colonia, 1970, p. 8.

[2] Maggie Toy, en "Frontiers: Artists & Architects", *Architectural Design*, 128, Londres, 1997, p. 7.

[3] Rem Koolhaas, "Die Inszenierung der Ungewissheit", entrevista en *Arch +*, 105/106, 1990, p. 70.

[4] Gordon Matta-Clark, Entrevista con Lisa Bear, 1974, en *Gordon Matta-Clark*, IVAM, Valencia, 1993, p. 375.

[5] Mary Jane Jacob, *Gordon Matta-Clark: A Retrospective*, Museum of Contemporary Art, Chicago, 1985, p. 8.

[6] Haus-Rucker-Co, *Kunstforum International*, 19, 1977, p. 171.

[7] Günter Zamp Kelp, "Journal", en *Haus-Rucker-Co 1967-1983*, Vieweg, Francfort, p. 59.

[8] Barbara Steiner, "Notizen zum Verhältnis von Kunst und Architektur", citando a Bruce Nauman, en *In Bewegung by Oktagon*, 1994, p. 47.

[9] Bernhard Tschumi, "La activación del espacio", *Arch +*, 119/120.

[10] Bernhard Tschumi, *Question of Space: Lectures on Architecture*, Londres, 1990, p. 27.

Towards a sensual space perception

neous unit representing a whole. It can only be understood as a series of fragments that are linked by the person experiencing them. The call for an interactive and flexible architecture has re-established an obvious but long-forgotten element in the planning and making of buildings: people. If the architecture can only be understood by moving through it, then it can only exist if it is used. If we call on urban planning to leave room for the unexpected then this must be understood as a plea to prepare the ground for spontaneous, human interaction. The user is once more the link between the idea and the physical reality and the catalyst in the creation of space.

Both art and architecture have broken their historic molds. They have turned to our daily lives and dreams for inspiration [11]. We are all now objects of desire. Our daily routines are analysed, every little escapade the object of investigation. Our histories are researched and our desires annotated. The ordinary has become socially acceptable. The unheroic is fashionable. Architecture no longer creates emblematic structures to be admired, but places that are to be used, felt and experienced. Art has substituted the 'object' to be looked at for the 'environment' to be felt. The quality of a work of art or architecture is now being measured by how well the user is employed. The viewer is an active participant in the work. His perception of it is irrevocably linked to sensual experience. In art and architecture the relationship between theory and practice, between the faculty of reason and physical experience is newly defined.

[1] *Gerhard Bott, in* Das Museum der Zukunft, *Cologne, 1970, p. 8.*

[2] *Maggie Toy, in 'Frontiers: Artists & Architects',* Architectural Design *128, London, 1997, p. 7.*

[3] *Rem Koolhaas, 'Die Inszenierung der Ungewissheit', interview in* Arch+ *105/106, 1990, p. 70.*

[4] *Gordon Matta-Clark, Interview with Lisa Bear, 1974, in* Gordon Matta-Clark, *IVAM, Valencia, 1993, p. 375.*

[5] *Mary Jane Jacob,* Gordon Matta-Clark: A Retrospective, *Museum of Contemporary Art, Chicago, 1985, p. 8.*

[6] *Haus-Rucker-Co,* Kunstforum International *Bd. 19, 1977, p. 171.*

[7] *Günter Zamp Kelp, 'Journal', in* Haus-Rucker-Co 1967-1983, *Vieweg, Frankfurt, p. 59.*

[8] *Barbara Steiner, 'Notizen zum Verhältnis von Kunst und Architektur', quoting Bruce Nauman, in* In Bewegung by Oktagon, *1994, p. 47.*

[9] *Bernhard Tschumi , 'Space Activation',* Arch+ *119/120.*

[10] *Bernhard Tschumi,* Questions of Space: Lectures on Architecture, *London, 1990, p. 27.*

barómetro. 1. Instrumento que determina la presión atmosférica y, por consiguiente, ayuda a calcular probables cambios de tiempo. 2. Algo que sirve para registrar con exactitud los cambios en actividades o estados fluctuantes.

Desde hace mucho tiempo, la ciencia se utiliza para cuantificar los fenómenos naturales y artificiales y, de este modo, hacérnoslos comprensibles. Nuestras ansias de comprender y controlar el entorno han producido un gran número de instrumentos que nos ayudan a calcular y predecir lo que se halla fuera de nuestro control directo. Las mangas de aire sirven para prever la dirección y la intensidad del viento, mientras que los detectores de mentiras oscilan cuando a uno le sube la tensión arterial. El desvío de un indicador bursátil es señal del bienestar económico de una nación; el sismógrafo, por su parte, traducirá en un dibujo comprensible un temblor de tierra. Para hacer tangible el movimiento de los planetas hay que proyectar su sombra en una pequeña zona de observación, mientras que un agente patógeno sólo es visible aumentado por mil.

Semejantes técnicas de edición de información compleja y su conversión a un formato que nos permite evaluar y medir lo que escapa a nuestra comprensión se han convertido en moneda corriente. Calcular lo indefinido (el universo, un huracán) o calibrar lo fluctuante (pautas de comportamiento, el tráfico) son medios de delimitar el efecto de un acontecimiento y de adaptarlo a la escala humana. Lo que es demasiado pequeño para ser visto se aumenta de tamaño, y lo que apenas se oye, se amplifica. Los barómetros son indicadores que nos ayudan a ver y comprender lo que nos rodea y a medir nuestro lugar en el orden superior.

barometer. 1. *An instrument for determining the pressure of the atmosphere and hence for helping judge probable changes in weather.* 2. *Something that serves to accurately register changes in activity or in fluctuating state.*

Science has long been employed to quantify natural and artificial phenomena, and thus to bring them within our grasp. Our yearning to understand and to control has produced a great number of instruments that help us judge and predict that which is beyond our direct control. Windsocks are used to visualize the direction and intensity of the wind, and lie-detectors oscillate when the stress level of a person rises. The shifting of a stock-market pointer is evidence of a nation's financial wellbeing, and a seismograph will translate an earth tremor into a fathomable pattern. To make the movement of the planets tangible one must project their shadow onto a small observation area, while the pathogen is only visible with a thousand-fold enlargement.

These techniques of editing complex information and converting it into a format that allows us to judge and measure that which is beyond our comprehension have become common practice. To quantify the indefinite (the universe, a hurricane) or to calibrate the fluctuating (behavioral patterns, traffic) are means of delimiting the effect of an occurrence and adapting it to the human scale. What is too small to be seen is increased in size, what is too silent amplified. Barometers are indicators that help us to see and understand what surrounds us and to gauge our place in the larger order.

Ron Herron, *Torre monumento al viento*, 1992.
Altura: 23,3 m, armazón de acero.
Kurobe, prefectura de Toyama, Japón.

Ron Herron, Wind Monument Tower, 1992.
Height 23.3 m, steel frame structure.
Kurobe, Toyama Prefecture, Japan.

Yann Kersalé
Espejos, espejos *Mirrors, Mirrors*
Nueva York, EEUU, 1990 *New York, USA, 1990*

Espejos, espejos es una prolongación luminosa de la Sexta y Séptima Avenidas de Nueva York a través de una de las porciones de naturaleza más claramente delimitadas del mundo: el Central Park. Por la noche, una serie de haces de luz muy potentes cruzan el parque formando dos largos corredores. La intensidad de los rayos es un reflejo directo de la actividad motorizada de la ciudad. Un sofisticado sistema informático traduce el tráfico que hay en los límites del parque en luz oscilante. El parque, pues, queda absolutamente absorbido por la ciudad. Su plano nocturno y oscuro se ha prolongado verticalmente; su aspecto ya no viene definido por la topografía, sino por el movimiento de sus habitantes.

Mirrors, Mirrors *is a luminous extension of New York's 6th and 7th Avenues across one of the world's most clearly defined bits of nature: Central Park. At night a series of potent light-beams form two long corridors across the park. The intensity of the beams is a direct reflection of the motorized activity of the city. A sophisticated computer system translates the traffic conditions around the edges of the park into pulsating light. The park is now entirely absorbed by the city. Its dark, nocturnal plane has been extended vertically; its appearance is no longer defined by its topography, but by the movement of its inhabitants.*

Toyo Ito
Torre de los vientos *Tower of Winds*
Yokohama, Japón, 1986 *Yokohama, Japan, 1986*

Al anochecer, la *Torre de los vientos* sufre la misma transformación que la ciudad a su alrededor. Su cuerpo, aparentemente sólido pero de un revestimiento acrílico, se hace transparente, revelando, así, distintas capas de filigrana de luz de colores. 1.280 pequeñas bombillas, 22 focos y 12 anillos de neón constituyen el repertorio luminoso que utiliza el ordenador incorporado para transformar el ruido, la velocidad y la dirección del viento en una exposición brillante. Durante el día, el revestimiento acrílico oculta la torre de agua y de ventilación en desuso; de noche, el espectáculo electrónico convierte ingeniosamente la torre en un enorme barómetro del clima urbano de Yokohama.

At dusk the Tower of Winds *undergoes the same transformation as the city around it. Its seemingly solid body, made of acrylic cladding, becomes transparent, revealing various filigree layers of colored light. 1280 small bulbs, 22 floodlights and twelve neon rings are the luminous repertoire that the in-built computer uses to transform noise, wind speed and wind direction into a brilliant display. The acrylic cladding hides the disused water and ventilation tower during the day; at night the electronic spectacle ingeniously converts the tower into a large-scale barometer of Yokohama's urban climate.*

Susumu Shingu
Reflejo de agua *Water Reflection*
Osaka, Japón, 1988 *Osaka, Japan, 1988*

Reflejo de agua está dedicado al recuerdo que posee Shingu del paisaje natural antes de su urbanización y conversión en lo que ahora es el Parque Ashihara. Su homenaje al pequeño estanque con pájaros y libélulas sobre los juncos ocupa un espacio triangular de 10 x 20 m del que sobresalen unas barras de acero inoxidable de tres metros de altura. Los extremos de las barras se abren para formar pequeños discos que generan un sutil sonido al tocarse unos con otros. Cuando el viento mece las barras flexibles, sus extremos captan la luz del sol y brillan como lo haría un reflejo en la superficie del agua.

Water Reflection is dedicated to Shingu's memory of the unspoilt landscape prior to urbanization and conversion into what is now the Ashihara Park. His homage to the small pond with birds and dragonflies amongst the reeds occupies a triangular site of 10 x 20 m from which three-meter-high stainless-steel rods protrude. Their ends widen out into little flat circles, which make subtle sounds when they touch each other. When the flexible rods begin swaying in the wind, their ends catch the sunlight and sparkle, not unlike a reflection on the water's surface.

Philips Design
Luz de la gente de la ciudad *City People Light*
Eindhoven, Holanda, 1998 *Eindhoven, Holland, 1998*

La Philips invitó a un grupo de investigación multidisciplinar para que investigara la calidad de vida de nuestras ciudades contemporáneas. *Luz de la gente de la ciudad* presenta una serie de sugerencias sobre cómo mejorar la calidad de nuestro entorno urbano mediante el alumbrado público. El amplio abanico de propuestas tienen algo en común: la petición de un contacto tangible y más directo entre el ciudadano y su entorno artificial y anónimo. Una de las propuestas es un nuevo tipo de farola que reacciona a la dirección del viento y, dependiendo de ésta, gradúa el color y la intensidad de la luz. La memoria de la propuesta expresa lo siguiente: "Cuando el viento sople por las calles de la ciudad, la intensidad o el color de la luz variarán, creando así el efecto de árboles que se balancean en el bosque o de brisa en un trigal".

Philips invited a multidisciplinary research group to investigate the quality of life in our contemporary cities. City People Light *presents a series of suggestions of how to enhance the quality of our urban environment with public lighting. The wide range of proposals have one thing in common: the plea for a more direct, tangible contact between the city-dweller and his anonymous, artificial environment. One of the proposals is a new type of streetlight that reacts to the direction of the wind and grades the color and intensity of the light in accordance. The description reads "When the wind blows through the streets of the city, the light intensity or color will change, creating an effect of swaying trees in the forest or a breeze in the cornfield."*

Douglas Hollis
Campo visual *Field of Vision*
Lake Placid, EEUU, 1980 *Lake Placid, USA, 1980*

Campo visual es una obra temporal construida para los Juegos Olímpicos de Invierno de Lake City, Nueva York. Hollis recurre al campo cubierto de nieve para explorar la relación entre el escenario inmaterial del viento y el paisaje visible. La instalación consta de 900 veletas que descansan sobre barras individuales que ocupan una superficie de 30 x 30 m. En el cielo invernal, las flechas dibujan en rojo el contorno ondulante de la tierra a sus pies. Debajo de esta línea, la nieve recién caída forma un nuevo contorno blanco. Su forma y extensión hacen visible el recorrido del viento.

Field of Vision is a temporary work, built for the Winter Olympics in Lake Placid, New York. Hollis makes use of the snow-covered countryside to explore the relationship between the immaterial windscape and the visible landscape. The installation consists of 900 wind vanes supported on individual rods extending over an area of 30 x 30 m. The arrows trace the gently undulating contour of the land below in red against the winter sky. Beneath this line the falling snow forms a new white contour. Its shape and extension renders the path of the wind visible.

Mokoto Sei Watanabe
Ola de fibra *Fiber Wave*
Ariake, Japón, 1994 *Ariake, Japan, 1994*

El viento no es visible. Uno puede sentirlo en la piel o el pelo. Sólo sus efectos son visibles, como el movimiento en remolino de un papel en una acera o el balanceo de un árbol. *Ola de fibra* fue diseñada para hacer visible el viento tanto de día como de noche. La instalación consta de 150 barras de fibra de carbono de cuatro metros y medio de altura. El material flexible cede a la fuerza del viento, lo mismo que hace su homóloga natural, la hierba. Las puntas de los tallos delgados llevan unos diodos luminosos alimentados por pilas solares, los cuales empiezan a emitir luz al anochecer. Durante toda la noche, 150 lucecitas dibujan el movimiento del viento en la oscuridad del cielo.

Wind is not visible. It can be felt on one's skin or in one's hair. Only its effects are visible, like the swirling movement of a piece of paper along a sidewalk, or the swaying of a tree. Fiber Wave was designed to let the wind be seen by day or by night. The installation consists of 150 carbon-fiber rods standing 4.5 m high. The flexible material yields to the power of the wind, just as does its natural counterpart, the grass. The tips of the slender stems are fitted with luminous diodes powered by solar batteries, which begin to emit their light after dusk. All through the night 150 tiny lights trace the movement of the wind against the black sky.

Allan Wexler
Edificio para la recogida de agua con cubos *Building for Water Collection With Buckets*
Staatsgalerie Saarbrücken, Alemania, 1994 *Staatsgalerie Saarbrücken, Germany, 1994*

Este proyecto derivaba del trabajo preliminar para la construcción de una ducha exterior. Forma parte de un grupo de obras más amplio llamado *Cubos, fregaderos, canalones* que investiga el tema de la recogida de agua, su almacenaje y su uso. *Edificio para la recogida de agua con cubos* recoge el agua de la lluvia que cae del tejado inclinado en cubos que cuelgan a lo largo del borde del tejado. A medida que se llenan los cubos de contrapeso, van cayendo al suelo para poder reutilizar el agua. Como los cubos son de varios tamaños, suben y bajan a ritmos diferentes.

This project derived from the preparatory work for the construction of an outdoor shower house. It forms part of a larger body of work called Buckets, Sinks ,Gutters, *which investigates the issues of water collection, its storage and use.* Building for Water Collection With Buckets *collects rainwater from the pitched roof in buckets that hang along the roof's edge. As each counterweighted bucket fills, it drops to the ground for human use. Because the buckets are of different sizes they fall and rise at different rates.*

Juan Navarro Baldeweg
Casa de la lluvia *Rain House*
Liérganes, Cantabria, España, 1978-1982 *Liérganes, Cantabria, Spain, 1978-1982*

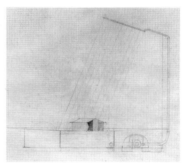

Las numerosas obras de Baldeweg dedicadas a temas planetarios y al drama del viento y la lluvia sugieren un fuerte interés por la fuerza de los elementos de la naturaleza. La maqueta *Casa de la lluvia*, anterior al edificio real construido en un terreno en pendiente situado a las afueras de Santander, acentúa la relación entre la necesidad primigenia de abrigo y la fuerza de los elementos naturales. La *Casa de la lluvia* de tamaño real tiene dos alas que integran la vista del lejano mar. Sus marcados canalones y su tejado inclinado exploran la idea de edificio como canal de desagüe.

Baldeweg's numerous works, dedicated to planetary themes and the drama of wind and rain, suggest a strong interest in the force of the natural elements. The model Rain House, *which precedes the actual building on the sloped land outside of Santander, emphasizes the relationship between the primordial need for shelter and the power of the natural elements. The full-size* Rain House *has two wings embracing the view of the distant sea. Its accentuated gutters and sloped roof explore the idea of a building as a sluice.*

Olafur Eliasson
Tu máquina del sol *Your Sun Machine*
Los Ángeles, EEUU, 1997 *Los Angeles, USA, 1997*

Cuando Eliasson instaló *Tu máquina del sol* en la Marc Foxx Gallery, llenó el espacio vacío con luz del sol mediante la apertura de un agujero en la cubierta. Rematerializado como una mancha vibrante en el suelo, el lejano cuerpo celeste se hizo presente físicamente a medida que se desplazaba por el espacio. Dicha incisión en la cubierta convirtió el edificio en un instrumento simple, pero preciso y de gran fuerza sugestiva, que señalaba de modo tangible el movimiento de la Tierra y el paso del tiempo en relación con el espectador.

When Eliasson installed Your Sun Machine *in the Marc Foxx Gallery, he filled the empty space with sunlight by cutting a hole into the roof. Rematerialized as a vibrating patch on the floor, the distant celestial body became physically present as it moved through the space. This incision in the roof converted the building into a simple but precise instrument of great suggestive power which marked, in a tangible way, the movement of the earth and the passing of time in relation to the beholder.*

Shoei Yoh
Casa con malla de luz *Light Lattice House*
Nagasaki, Japón, 1980 *Nagasaki, Japan, 1980*

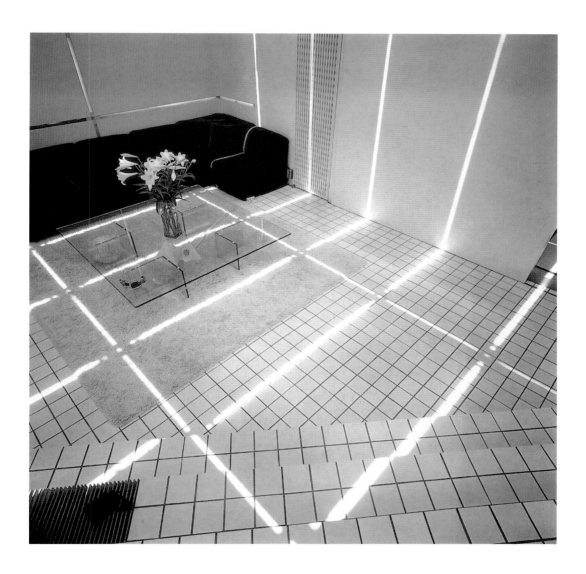

La *Casa con malla de luz* es una vivienda unifamiliar con vestíbulo, sala de estar, sala del *tatami*, cocina, baño y dormitorio. La peculiaridad de esta casa respecto a las otras es su cerramiento. La cubierta y los muros de cerramiento están realizados con paneles aislantes de acero inoxidable y estrechas ranuras de vidrio que cubren las juntas. Todo el edificio está sistemáticamente cubierto por esta malla, que convierte a la casa en un gran reloj de sol. Durante el día la luz se filtra por las estrechas ranuras que constituyen la única conexión visual con el exterior. El intrincado juego de la malla de luz variable domina el interior y a sus habitantes en la medida en que el tiempo se convierte en físicamente mensurable.

Light Lattice House is a one-family home with a hall, living room, tatami room, kitchen, bathroom and bedroom. What makes this house different to all other houses is its skin. Roof and enclosing walls are made from stainless-steel insulation panels, with narrow glass slits expressing the joints. The entire building is covered in this systematic grid, converting the house into a large sundial. Throughout the day light filters through the narrow slits, which provide the only visual connection to the exterior. The intricate play of the moving light grid dominates the interior and its inhabitants as time becomes physically measurable.

Andy Goldsworthy
Hendiduras en la nieve *Slits in Snow*
Fiordo Grise, isla de Ellesmere, Canadá, 1989 *Grise Fjord, Ellesmere Island, Canada, 1989*

El título completo de esta obra es descriptivo: *Hendiduras en la nieve reflejando el sol y el viento derribadas por una fuerte ráfaga*. Goldsworthy la realizó en el transcurso de su viaje al Polo Norte. Cada día desafiaba el frío para trabajar con el material de la zona. *Hendiduras en la nieve* forma parte de una serie de esculturas efímeras que exploran la cualidad inherente de este paisaje inhóspito, donde el sol brilla 24 horas y todas las direcciones apuntan hacia el sur.

The full title of this work is descriptive: Slits in Snow Catching the Sun and the Wind Blown Down by a Strong Gust. *It was made during Goldworthy's trip that would culminate at the North Pole. Every day he would brave the cold to work with the local material.* Slits in Snow *is part of a series of ephemeral sculptures which explore the inherent quality of this inhospitable landscape, where the sun shines for 24 hours and every direction is south.*

Michael van Valkenburgh
Jardín helado de Cracovia *Krakow Ice Garden*
Martha's Vineyard, Massachusetts, EEUU, 1990 *Martha's Vineyard, Massachusetts, USA, 1990*

El diseño de este jardín celebra los cambios estacionales, tal y como se experimentan en la costa de Massachusetts, a través de las cualidades traslúcidas y semitransparentes de las plantas y el hielo. En los meses cálidos del año, plantas de distintos colores cubren el círculo de malla de acero de 12 m de diámetro. En invierno, un sistema de irrigación por goteo provoca que se formen paredes de hielo en la malla, creando así una pantalla semitransparente y luminosa. Las formaciones de hielo varían según la temperatura y el viento.

The design for this garden celebrates the changing seasons as experienced on the coast of Massachusetts, through the semi-transparent and translucent qualities of plants and ice. During the warm months of the year, plants of various colors cover the steel-mesh circle 12 m in diameter. In winter, a drip irrigation system causes walls of ice to form on the scrim, creating a luminous, semi-transparent screen. The ice formations vary, depending on the temperature and wind conditions.

pasaje. 1. Movimiento o transferencia a través de o por un espacio o elemento. 2. Transición de un modo del ser, condición o estadio a otro.

Para cada principio existe un final previsto, para cada comienzo, una meta proyectada. Sin embargo, pasamos la mayor parte de nuestro tiempo entre estos dos puntos de referencia fijos: de camino a alguna parte, haciendo algo o acercándonos a alguien. En contraposición al carácter finito de un principio o un final, el camino hacia una meta buscada, sea ésta un lugar o una condición, implica un movimiento continuo y persistente. Con independencia de su ritmo y dirección, dicho movimiento crea una condición de flujo permanente que fusiona la percepción del tiempo y del espacio. El resultado es un estado de transición sucesiva.

Un pasaje no es distinto de una visita guiada que ofrece una ruta concreta o una vista específica de la travesía. La perseverancia resuelta de la persona que emprende el viaje añade una cualidad ritual al pasaje. Algunos de estos viajes hacen del acto de moverse su objetivo último, mientras que otros cuentan con el poder de la memoria y de la asociación para evocar una lectura más compleja de esa travesía. Algunos conectan una serie de lugares o acontecimientos deseables, mientras que otros requerirán un cambio mínimo de escala o ángulo de visión para ofrecer una vista nueva de lo conocido.

Un viaje puede medirse por la distancia recorrida, la energía invertida en finalizarlo o el tiempo empleado. Sin embargo, un pasaje no sólo implica dimensiones físicas y temporales, sino que nos expone a experiencias nuevas y nos invita a reflexionar.

passage. 1. Movement or transference through or across a space or element. 2. A transition from one mode of being, condition or stage to another.

To every beginning there is a contemplated end, to every outset a projected goal. But most of our time is spent somewhere in-between these two fixed reference points: on the way to somewhere, in the process of doing something, or moving towards someone. In contrast to the finite nature of a beginning or an end, the route towards an intended destination, be it a place or a condition, implies a continuous and persistent motion. Independently of its rhythm and direction, this movement creates a condition of permanent flux which combines the perception of time and space. The result is a state of successive transition.

A passage is not unlike a guided tour which offers a particular route or a specific vision of that which it traverses. The purposeful perseverance of the person who undertakes the journey adds a ritual quality to the passage. Some of these trips make the act of moving their very purpose, while others rely on the powers of memory and association to evoke a more complex reading of that traversal. Some connect a series of desirable locations or events and others will need as little as a change in scale or angle of vision to offer a fresh view of the familiar.

A journey can be measured by the distance covered, the energy spent on completing it, or by the time that this undertaking involves. But passage does not involve just the physical and the temporal. It exposes us to new experiences and provides us with food for thought.

Bernhard Tschumi, *Pabellón acristalado
de vídeo*, 1990.
Estructura de vidrio con pavimento de rejilla
metálica y monitores de televisión, 3,6 x 21,6 m.
Groninga, Países Bajos.

Bernard Tschumi, Glass Video Gallery, *1990.
Glass structure with metal grate flooring and
monitor consoles, 3.6 x 21.6 m.
Groningen, Netherlands.*

Dani Karavan
Pasajes: Homenaje a Walter Benjamin *Passages: Homage to Walter Benjamin*
Portbou, España, 1994 *Portbou, Spain, 1994*

Se trata de un monumento al filósofo Walter Benjamin, quien se suicidó en Portbou mientras huía de la Gestapo. La obra es un breve peregrinaje por la memoria de Benjamin y consta de tres partes, construidas con acero *cortén*. Junto a un olivo, en el rincón del cementerio donde reposa Benjamin, hay cinco escalones. En la parte posterior del cementerio se ha dispuesto un lugar donde uno puede sentarse y contemplar el mar. Finalmente, y lo más importante, un túnel desciende hacia el mar a través del abrupto acantilado. La perspectiva del túnel arrastra literalmente al visitante hacia el mar. A medida que éste desciende hacia el oleaje agitado de abajo, su camino se encuentra bloqueado por una barrera de vidrio que contiene un texto del filósofo alemán.

This is a monument to the philosopher Walter Benjamin who committed suicide in Portbou while fleeing the Gestapo. The work is a short pilgrimage in Benjamin's memory and consists of three parts, all made in Cor-ten steel. There are five steps next to an olive tree in the corner of the graveyard where Benjamin lies buried. At the rear of the graveyard there is a place to sit and watch the ocean. Finally, and most importantly, there is the tunnel leading steeply down through the cliff to the ocean. The tunnel perspective literally drags the visitor down towards the sea. As he descends towards the thrashing waves below, a glass barrier with a text by the German philosopher blocks his path.

Tadao Ando
Templo del agua *Water Temple*
Tsuna-gun, Hyogo, Japón, 1991 *Tsuna-gun, Hyogo, Japan, 1991*

Templo del agua —un templo de la secta shingon— se halla situado en una isla del mar interior de Japón. El encargo consistía en proyectar una nueva sala principal, *Mizumido*, situada en una colina con amplias vistas a la bahía de Osaka. En su proyecto, Ando sustituyó el simbólico y tradicional tejado de los templos budistas por una superficie de agua lisa, salpicada del verde de los lotos. El estanque oval, de 40 m de largo por 30 m de ancho, parece arrastrar al visitante bajo el agua a medida que éste desciende por las escaleras que conducen al interior de la sala del templo. Unos altos pilares sobre los que descansa el peso del estanque proyectan sombras en este espacio de reflexión, cerrado por paredes de color bermellón.

Water Temple —a temple of the Shingon sect—, is located on an island in Japan's Inland Sea. The brief was to design a new main hall, Mizumido, positioned on a hill offering a sweeping view of Osaka Bay. In his design Ando replaced the traditional, symbolic roof of Buddhist temples with a smooth water surface, sprinkled with the green of lotus plants. The oval pond, 40 m long and 30 m wide, seems to draw the visitor underwater as he descends the stairs into the hall of the temple. Tall pillars supporting the weight of the pond cast long shadows in this space of reflection, which is enclosed by vermilion walls.

Tadashi Kawamata
Acera *Sidewalk*
Wiener Neustadt, Austria, 1996

La *Acera-Wiener Neustadt* es un paseo elevado de 250 metros de largo. La estructura donde descansa es de madera, mide 4,5 metros de altura y va de una calle lateral a la plaza, donde circunda un bloque central de edificios en el espacio principal del mercado. La pasarela de madera ofrece una nueva vista de la plaza central y de sus edificios; el mirador suspendido, en el que se han colocado bancos, invita a entretenerse un rato contemplando una perspectiva nada habitual. Esta estructura temporal introduce una nueva secuencia de movimientos en esta pequeña plaza de pueblo y, al modificar la rutina diaria, añade un elemento de sorpresa.

The Sidewalk-Wiener Neustadt *is a 250-meter-long elevated walkway. Its 4.5 meter-high supportive wooden structure leads from a side street into the square, where it encircles a central island of buildings on the main market place. Its wooden deck offers a new view of the central square and its buildings; the suspended platform with benches invites one to linger and contemplate the unusual perspective. This temporary structure introduces a new sequence of movements in this little town square, and by modifying the daily routine adds an element of surprise.*

Bernhard Tschumi
Estudio Nacional para las Artes Contemporáneas Le Fresnoy *Le Fresnoy National Studio for Contemporary Arts*
Tourcoing, Francia, 1991-1998 *Tourcoing, France, 1991-1998*

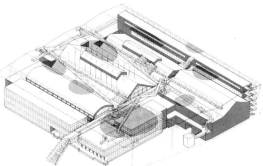

Muy compleja resultó la tarea de realizar una mediateca de 10.000 m² en medio de una serie de edificios deteriorados de los años veinte. La solución escogida por Tschumi de guarecer las estructuras nuevas y preexistentes bajo una nueva cubierta gigante, que proporcionara no sólo protección contra los elementos sino que, además, albergara todo el equipamiento técnico necesario, fue muy atrevida. Tschumi considera que el espacio intersticial que queda entre la gran cubierta, el laboratorio y el viejo edificio del teatro es la esencia del proyecto. El visitante es conducido a través de este sugerente espacio intermedio por medio de pasarelas metálicas suspendidas que conectan las distintas partes de la mediateca.

It was a complex task to develop a 10.000 m² media center amidst a series of deteriorated buildings from the 1920s. Tschumi's solution of sheltering pre-existing and additional structures under a new, giant roof that would provide not only protection from the natural elements, but also accommodate all the necessary technical equipment, was a daring one. The resulting interstitial space between the great roof, the laboratory and the old theater building is what Tschumi considers to be the essence of the project. The visitor is led through this suggestive in-between space on suspended metal walkways, which connect the different parts of the media center.

Claus Bury
Torre-puerta Friedrichsberg *Tower-Gate Friedrichsberg*
Pforzheim, Alemania, 1991 *Pforzheim, Germany, 1991*

Situada en un claro cubierto de hierba y rodeado de altos árboles, *Torre-puerta* estimula el sentido natural de la curiosidad y fomenta el deseo de explorar. Sus escaleras empinadas y su puerta monumental nos atraen hacia el interior de la estructura mientras que las dos torres simétricas, con sus terrazas descubiertas, nos invitan a contemplar el cielo. Dando la vuelta a la escultura y subiéndose a ella, se pasa por una serie de vistas, perspectivas y recintos organizados escrupulosamente que agudizan la experiencia sensorial del "yo" en relación con el paisaje circundante.

Sited on a grassy clearing girdled by tall trees, Tower-Gate *encourages a natural sense of curiosity and a desire to explore. Its steep stairs and monumental gateway draws us into the structure, and the two symmetrical towers with their open terraces invite us to contemplate the sky. Walking around and clambering over the sculpture, we pass through a series of carefully staged views, perspectives and enclosures, which heighten the sensory experience of 'self' in relation to the surrounding landscape.*

Tadao Ando
Museo de madera *Museum of Wood*
Mikata-gun, Hyogo, Japón, 1994-2004 *Mikata-gun, Hyogo, Japan, 1994-2004*

El *Museo de madera* consta de dos volúmenes conectados por una pasarela elevada. Un gran cono de madera de 46 metros de diámetro alberga el museo propiamente dicho, mientras que un volumen cuadrado menor hace las veces de atalaya. Un largo puente de enlace celebra el pasaje a través de unos árboles escrupulosamente conservados durante la construcción. Dicho puente conecta el espacio central abierto del museo —incluido un estanque donde se refleja el cielo— con la atalaya y ofrece una vista privilegiada del museo en su excepcional entorno natural.

The Museum of Wood *consists of two volumes, connected by an elevated passageway. A large wooden cone, 46 m in diameter, houses the actual museum, while a smaller square volume functions as an observation tower. A long connecting bridge celebrates the passage through trees whose felling was painstakingly avoided during construction. It connects the open central space of the museum —including a pond to reflect the sky— with the observation tower and grants a privileged view of the museum in its special natural setting.*

Hansjörg Voth
Escalera-cielo *Sky-Ladder*
Llanura de Marha, Marruecos, 1987 *Marha Plain, Marocco, 1987*

Escalera-cielo es la primera de la serie de esculturas que el artista alemán Voth erigió en el desierto de Marruecos. Voth diseña sus obras *in situ* y las construye con materiales y técnicas autóctonas. Dado que el artista pasa largas temporadas en este entorno inhóspito, esta gran escultura de arcilla debió asimismo cumplir con el papel de casa. En esta larga escalera que se prolonga hacia el cielo del desierto se esconden una habitación de trabajo y dos salas de estar.

The Sky-Ladder is the first of various sculptures that the German artist Voth erected in the desert of Morocco. His works are designed on-site and built with local materials and construction techniques. As the artist spends prolonged periods of time in this inhospitable landscape, this large clay sculpture must also double as a homestead. One working and two living rooms are concealed in this long staircase, which extends towards the desert sky.

Sverre Fehn
Museo del glaciar *Glacier Museum*
Fjaerland, Noruega, 1992 *Fjaerland, Norway, 1992*

El museo está situado en medio de imponentes montañas noruegas. Dos cuerpos geométricos claramente definidos albergan el material museístico. Una larga estructura rectangular contiene las salas de exposición y los servicios auxiliares, mientras que el auditorio se aloja en un cilindro. Las escaleras ascendentes que flanquean la entrada al museo ponen al visitante ante a una difícil elección: entrar en el edificio donde aprenderá analíticamente los fenómenos glaciales, o bien subir al tejado del edificio para gozar de una experiencia directa de la imponente presencia del glaciar.

The museum is sited amidst the imposing Norwegian mountains. Two clearly defined geometric bodies are joined to house the glacial display material. A long rectangular structure contains the exhibition spaces and auxiliary services, while a cylinder accommodates the auditorium. The ascending stairs flanking the entrance of the museum present the visitor with a difficult choice. To enter the building where he may learn about the icy phenomena in an analytical manner, or to climb onto the roof of the building and have a direct experience of the glacier's commanding presence.

Eventstructure Reseach Group (Jeffrey Shaw, Theo Botschuijer, Sean Wellesley-Miller)
El paseo acuático *The Waterwalk*
Amsterdam, Holanda, 1969 *Amsterdam, Holland, 1969*

El paseo acuático consistía en un globo en forma de tetraedro de tres metros de altura realizado en plástico transparente. El acceso al interior de la estructura se realizaba a través de una apertura en cremallera que permitía un cierre hermético. Una vez hinchada con aire, una o más personas podían "pasear en el agua" pisando y haciendo girar esta estructura liviana como si fuera una rueda sobre la superficie del agua. El gran volumen de aire contenido en el globo permitía a sus ocupantes pasear un buen rato y, cuando deseaban salir, simplemente debían abrir la cremallera. Lagos, ríos y el mar eran los escenarios de esta *"eventstructure"*.

The Waterwalk is a 3-meter-high tetrahedron-shaped balloon made of transparent plastic. A watertight zip permitted people to enter and be sealed inside. When inflated with air one or more persons could 'walk on water' by stepping and rotating this lightweight structure like a wheel over the water's surface. The large volume of the air in the balloon allowed the occupants some time for their journey, and whenever they wished they could simply unzip themselves. Lakes, rivers and the sea were the venues of this 'eventstructure'.

NOX
FreshH2OeXPO
Zeeland, Holanda, 1994-1997 *Zeeland, Holland, 1994-1997*

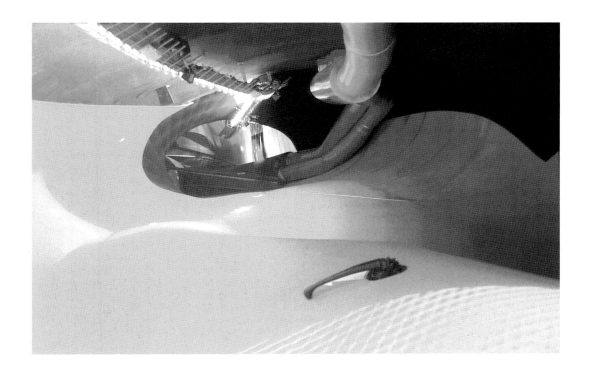

FreshH2OeXPO es un museo interactivo cuyo tema es el agua. No alberga ninguna exposición en sentido clásico. Las imágenes y las vitrinas han sido sustituidos por sistemas interactivos audiovisuales; el visitante es, asimismo, el propio comisario de la exposición. El edificio confunde decididamente el sentido de la gravedad y de la orientación del visitante evitando las superficies horizontales, fundiendo las paredes con los techos y anulando las ventanas. La superficie continua del pabellón está cubierta de sensores que activan la proyección de una retícula con grandes olas simuladas. Cuando el visitante empieza a moverse con las olas, activa más sensores, lo cual genera más olas… hasta que andar se convierte en algo parecido a nadar, y caer, a ahogarse.

FreshH2OeXPO is an interactive museum with water as its subject. It does not house an exhibition in the classical sense. Pictures and displays are replaced by interactive sound and image systems; the visitor is also the curator of the show. The building purposefully confuses the visitor's sense of gravity and orientation by avoiding horizontal surfaces, blending walls into ceilings and annulling any windows. The continuous surface of the freshwater pavilion is covered with sensory devices, which set off wire-frame projections with simulated tidal waves. As the visitor begins to move with the waves he activates more sensors, creating other waves... until walking becomes like swimming and falling like drowning.

Martin Kippenberger
Entrada a la estación de metro Lord Jim *Entrance to the Lord Jim Subway Station*
Siros, Grecia, 1993 *Syros, Greece, 1993*

Con *Metro-Red* Kippenberger quiso hacer realidad su sueño de crear una red mundial de metro. Ya se han construido la primera entrada en el Mediterráneo (Grecia) y la salida en Dawson City (Alaska), al otro lado del planeta. Cada estructura consta de una serie de escalones descendentes que conducen al supuesto túnel del metro, que queda cortado a los pocos metros. En Tokio, Normandía y Massachusetts se proyectaron elementos auxiliares como pozos y rejillas de ventilación pero, debido a la muerte prematura del artista, sólo pudo construirse uno de ellos en Kassel, Alemania. El *Metro* de Kippenbergen sigue siendo ficción.

With Metro-Net *Kippenberger wanted to fulfil his dream of creating a worldwide subway network. The first entrance in the Mediterranean (Greece), plus the exit on the other side of the globe in Dawson City (Alaska), have been built. Each structure consists of a series of descending steps leading to the supposed Metro tunnel, which is blocked off after a few meters. Auxiliary elements, like airshafts and ventilation grids were planned in Tokyo, Normandy and Massachusetts but, due to the untimely death of the artist, only one of them got built in Kassel, Germany. Kippenberger's* Metro *remains fictitious.*

Aurelio Galfetti
Acceso al Castelgrande *Access to the Castelgrande*
Bellinzona, Suiza, 1986 *Bellinzona, Switzerland, 1986*

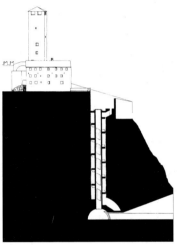

El elemento clave que une el restaurado Castelgrande con el pueblo que tiene a sus pies es la inserción de un ascensor en la roca glacial que hace de pedestal del castillo. El acceso, proyectado para conectar la Piazza del Sole con los jardines de la fortaleza, cruza una estrecha abertura de hormigón practicada en una grieta de la desnuda roca negra. Desde aquí, el visitante cruza un espacio abovedado de hormigón de expresivas texturas y empieza a ascender verticalmente, en ascensor o por las escaleras, a través de lo que Galfetti denomina "la ventana" —una extrusión vertical y cuadrada de 2,3 x 2,3 x 42 m de roca— en dirección a la luz del patio interior del castillo.

The key element linking the restored Castelgrande to the town at its feet is the insertion of an elevator in the glacial rock serving as the castle's plinth. The access, designed to connect the Piazza del Sole with the grounds of the fortress, passes through a narrow concrete slit in a crevice of the bare black rock. From there the visitor passes through a domed space in expressively textured concrete and begins to climbs vertically, by lift or stairs, through what Galfetti calls "the window" —a square, vertical extrusion of 2.3 x 2.3 x 42 m of rock— towards the light of the castle's inner courtyard.

reflexión. 1. Rebote parcial o total de la luz sobre una superficie reflectante. 2. Contemplación introspectiva de los contenidos y cualidades de los pensamientos y experiencias propios.

El restringido ángulo visual del que disponemos nos limita la visión del entorno. Para obtener una imagen completa debemos cambiar de posición y retener la imagen previa en la memoria a medida que la perdemos de vista. A veces alcanzamos a ver, con el rabillo del ojo, lo que se extiende a lo lejos, o vemos su reflejo en algo que observamos. Un reflejo reúne varios elementos que, si bien se hallan dispersos en el espacio, aparecen dentro de los límites de nuestro campo visual. El grado de reflejo y su difusión dependen de la naturaleza de la superficie y de las condiciones específicas de luz. Unas aguas tranquilas producen una imagen especular tan perfecta que sus mismas propiedades físicas desaparecen bajo la ilusión de la imagen proyectada, mientras que otras superficies conservan ciertas propiedades de su naturaleza inherente. Este solapamiento de estructura existente e imagen proyectada se traduce en una superposición fortuita que establece una serie de asociaciones entre la imagen y el objeto. Reúne lo obvio con lo inesperado, lo estable con lo fugaz.

El carácter efímero y transparente de un reflejo no es distinto de las imágenes que conservamos en la memoria. Cuando reflexionamos sobre un tema o una idea, superponemos nuestra imagen mental y proyectamos nuestra interpretación en la circunstancia dada.

reflection. 1. *The partial or complete return of light from a reflective surface.* 2. *Introspective contemplation of the contents and qualities of one's own thoughts and experiences.*

The restricted angle of our vision limits our view of the surroundings. For a complete picture we have to turn, retaining the previous image in our memory as it moves out of sight. Sometimes, out of the corner of the eye, we catch a glimpse of that which lies beyond, or see its reflection on something we observe. A reflection brings together different elements which, otherwise dispersed in space, now appear within the confines of our field of vision. The level of reflection and its diffusion depends on the nature of the surface and the specific light conditions. Still water will produce such a perfect mirror image that its own, physical properties disappear behind the illusion of the projected image, while other surfaces retain some of their inherent nature. This overlay of existing structure and projected image results in a coincidental superimposition, which establishes a series of associations between image and object. It combines the obvious with the unexpected and the stable with the fleeting.

The ephemeral and transparent character of a reflection is not unlike the images we retain in our memories. As we reflect on a subject or on a thought we superimpose our mental image and project our interpretation on the given circumstance.

Olafur Eliasson, *Lo orgánico
y la descripción cristalina*, 1996.
Instalación multimedia con proyección de luz,
vidrio, espejo convexo.
Neue Gallerie, Graz, Austria.

Olafur Eliasson, The Organic
and the Crystalline Description, *1996.
Mixed-media installation with light projection,
glass, convex mirror.
Neue Gallerie, Graz, Austria.*

Per Barclay
Interior
Noruega, 1992 *Norway, 1992*

La obra *Interior* gira en torno a una caseta de obra abandonada que Per Barclay había medio llenado con agua. Una serie de fotografías muestra este interior inundado en distintos momentos del día. El efecto especular de la superficie del agua duplica el tamaño de la habitación y otorga más verosimilitud al suave reflejo que al espacio real con sus leves imperfecciones. Semejante ambigua dualidad queda aún más confirmada por el hecho curioso de que el reflejo del crepúsculo noruego en la ventana es perceptiblemente distinto de su homólogo "real". Incluso los colores del reflejo parecen más reales que los naturales.

Interior is a work that centers on a derelict building-site hut, which Per Barclay had half-filled with water. A series of photographs show this flooded interior at various stages throughout the day. The mirror effect of the water's surface doubles the size of the room and renders the smooth reflection more real than the actual space with its small blemishes. This ambiguous duality is further substantiated by the curious fact that the mirrored view of the Norwegian sunset in the window is noticeably different to its 'real' counterpart. Even the colors of the reflection seem more real than the natural ones.

Albert Viaplana & Helio Piñón
Centre de Cultura Contemporània de Barcelona
Barcelona, España, 1993 *Barcelona, Spain, 1993*

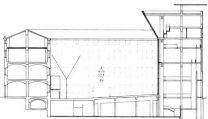

Parte del importante plan de restauración de la Casa de la Caritat consistía en la inserción de un edificio nuevo en el patio existente. La fachada de cristal de la nueva estructura, que alberga la circulación vertical del museo, refleja las tres fachadas históricas del patio. La diferencia tonal del cristal parece dividir el reflejo en dos, como para subrayar la diferencia entre el original histórico y su reflejo contemporáneo. El cambio de ángulo que se produce en la parte superior del edificio transforma la fachada en un enorme periscopio: proyecta la imagen especular de los tejados de la ciudad y del refulgente mar en el interior del patio cerrado.

Part of the extensive restoration plan for the Casa de la Caritat was the insertion of a new building into the existing courtyard. The glass facade of the new structure, housing the vertical circulation of the museum, mirrors the three historic facades of the courtyard. A tonal difference in the glass seems to divide the reflection in two as if to underline the difference between the historic original and its contemporary reflection. The change of angle at the top of the building converts the facade into a large periscope. It projects the mirror image of the city's rooftops and the glistening sea towards the interior of the enclosed courtyard.

Karin F. Giusti
Casa Blanca/invernadero *White House/Green House*
Nueva York, EEUU, 1997 *New York, USA, 1997*

Este invernadero, del todo funcional, fue encargado por el Lower Manhattan Cultural Council y estuvo situado durante seis meses en el Battery Park, cercano a la estatua de la Libertad. La estructura, de plancha de acero y acrílica, albergaba 200 rosales con nombres como 'JFK', 'Lincoln' u 'Orgullo Americano'. La doble imagen de la fachada de la Casa Blanca con el billete de un dólar a ambos lados de las paredes del invernadero se recorta claramente en el cielo luminoso: su reflejo es un monumento a la relación entre dinero y poder. Los dos millones de personas que lo visitaron lo convirtieron en un lugar idóneo para la inscripción en el censo electoral que tenía lugar cada día bajo el pórtico de *Casa Blanca/invernadero*.

This fully functional greenhouse was commissioned by the Lower Manhattan Cultural Council and situated for 6 months in Battery Park within sight of the Statue of Liberty. The structure, made from steel and acrylic sheet, housed 200 rosebushes with names like 'JFK', 'Lincoln' and 'American Pride'. The double image of the White House facade and the dollar bill on either side of the greenhouse walls read clearly against the luminous sky, its reflection a monument to the relationship of power and money. Two million visitors to the site made it ideal for the voter registration that took place daily beneath the White House/Green House *portico.*

Jean Nouvel
Galerías Lafayette *Galeries Lafayette*
Berlín, Alemania, 1996 *Berlin, Germany, 1996*

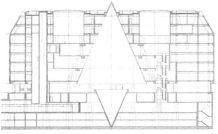

Para Nouvel, el éxito de un centro comercial reside en su atractivo como acontecimiento. En las Galerías Lafayette utiliza un complejo mecanismo escenográfico para seducir al comprador: un espejo gigante que refleja y aumenta todo cuanto es deseable. Los dos grandes conos reflectantes situados en el espacio central constituyen el corazón luminoso de los almacenes, cuya superficie brillante amplifica el reflejo refulgente de la actividad comercial. La superficie de ambos conos vibra y centellea con luces electrónicas, a la par que varias campañas promocionales revisten las imágenes especulares de los compradores en distintas plantas. El cristal curvo distorsiona y multiplica lo que refleja, convirtiendo un mundo irreal en un espectáculo real.

For Nouvel the success of a shopping center lies in its attractiveness as an event. In the Galeries Lafayette he uses a sophisticated scenographic mechanism to seduce the shopper: a giant mirror to reflect and enlarge all that is desirable. Two great mirrored cones in the central space constitute the brilliant heart of the department store, their shiny surface enlarging the glistening reflection of the commercial activity. Their surfaces vibrate and flash with electronic lights, and different promotional campaigns overlay the mirrored images of the shoppers on different floors. The curved glass distorts and multiplies what it reflects, converting an unreal world into a real spectacle.

Dan Graham
Intervención sobre una casa suburbana *Alteration of a Suburban House*
1978

Se ha quitado toda la fachada de una típica casa suburbana y en su lugar se ha colocado una lámina de cristal transparente. Un espejo paralelo a la fachada de cristal delantera divide la casa en dos zonas. La zona anterior se desvela al público, mientras que la privada permanece velada. Dado que el espejo da a la fachada de cristal y a la calle, refleja no sólo el interior sino también el entorno exterior. El espejo revela la posición de la mirada del espectador y modifica la disposición tradicional del espacio familiar.

The entire facade of a typical suburban house has been removed and replaced with a sheet of transparent glass. A mirror, parallel to the front glass facade, divides the house into two areas. The front section is revealed to the public, while the private section is not exposed. As the mirror faces the glass facade and the street, it reflects not only the interior but also the outdoor environment. The mirror reveals the position of the spectator's gaze and alters the traditional disposition of the family space.

Shinichi Ogawa
La casa cubista *The Cubist House*
Yamaguchi, Japón, 1989 *Yamaguchi, Japan, 1989*

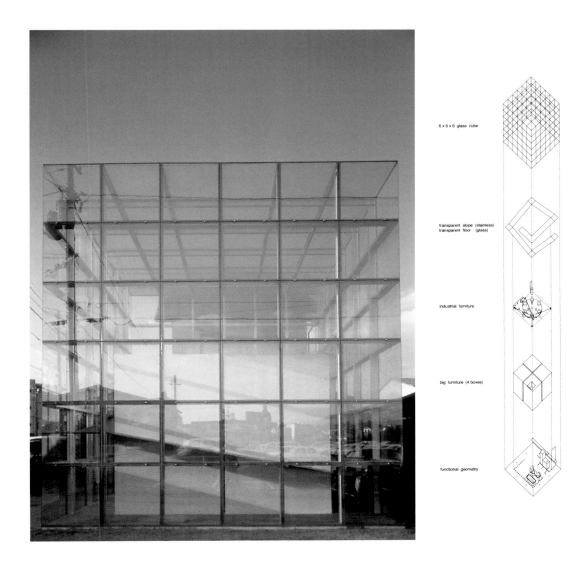

6 x 6 x 6 glass cube

transparent slope (stainless)
transparent floor (glass)

industrial furniture

big furniture (4 boxes)

functional geometry

La casa cubista fue proyectada como residencia y taller de un escultor. Dos talleres, un baño, una sala de estar y una cocina componen los elementos básicos de este montaje de cubos en el interior de un cubo más grande. Esta gran estructura de cristal se enciende por la noche, exponiendo así su interior y la vida del habitante. Durante el día se invierte la dirección de esta transparencia, ya que el revestimiento de cristal refleja la silueta del espectador en el telón de fondo de la bulliciosa ciudad.

The Cubist House *was designed as the residence and studio of a sculptor. Two studios, a bathroom, rest room and kitchen make up the basic elements of this assembly of cubes inside a larger cube. This large glass structure lights up at night, exposing its interior and the life of the dweller. During the day the direction of this transparency is reversed, as the glass casing reflects the viewer's silhouette against the backdrop of the noisy city.*

Dan Graham
Exposición doble *Double Exposure*
1995-1996

Dos de los muros laterales que forman este pabellón triangular en el bosque son de cristal que, por un lado funciona como espejo y, por el otro, como ventana. El tercer muro es una gran transparencia de *cibachrome* que exhibe el paisaje en primavera, tal y como se ve desde dentro de la estructura. Los espectadores que se encuentran en el interior del pabellón ven el paisaje actual a través de la imagen estática del pasado. El exterior ofrece una imagen prismática y en constante fluctuación del entorno, superpuesta al reflejo de los espectadores que miran desde dentro y desde fuera del pabellón.

Two of the side walls making up this triangular pavilion in the woods are formed of two-way mirrored glass. The third is a large cibachrome transparency, which shows the landscape in spring as viewed from within the structure. Spectators inside the pavilion can see the present landscape through the static image of the past. The exterior offers a prismatic, continuously fluctuating image of the surrounding landscape superimposed on the reflection of the gazing spectators inside and outside the pavilion.

Herzog & de Meuron
Fábrica Ricola *Ricola Factory*
Mulhouse-Brunnstatt, Francia, 1993 *Mulhouse-Brunnstatt, France, 1993*

El nuevo edificio de la fábrica Ricola se halla en un idílico paraje boscoso entre el canal del Rin-Ródano y el río Ill. El edificio refleja su contenido y su entorno mediante la reproducción de motivos naturales, como hojas y musgo, en sus paredes. Sus dos fachadas principales están constituidas por un cerramiento compuesto de paneles grabados de policarbonato. Las formas vegetales repetidas suministran a la zona de trabajo una agradable luz filtrada y convierten lo que por regla general es un material monótono y duro en una sensual pantalla parecida a una tela en constante cambio. A medida que oscurece va aumentando la presencia del diseño en el exterior y es apenas ya visible desde el interior. El agua que cae por los testeros de hormigón de la fábrica forma una película de flora que, a su vez, aporta su propio diseño natural.

Ricola's new factory building is located on an idyllic wooded site between the Rhine-Rhône Canal and the River Ill. The building reflects its content and surroundings by reproducing natural motifs like leaves and moss on its walls. Its two principal facades are light walls made from printed polycarbonate panels. The repetitive plant forms provide the work area with pleasantly filtered daylight and convert what is commonly a hard, flat material into a sensual, ever-changing textile-like screen. The diminishing daylight increases the presence of the pattern on the exterior, now barely visible from the inside. The water running down the concrete side walls of the factory creates a film of plant life, which forms its own natural pattern.

Mary Miss
Proyecto en Jyvaskyla *Jyvaskyla Project*
Jyvaskyla, Finlandia, 1994 *Jyvaskyla, Finland, 1994*

Esta instalación de Mary Miss consta de siete abrevaderos de madera revestidos de acero (de 3 a 13 m de largo) y un pequeño mirador con vistas a la zona en declive de un pinar de dos acres de extensión. Los canales corren paralelos entre sí y cada uno abraza la base de un árbol. Los abrevaderos están llenos de agua totalmente quieta hasta el borde, lo cual multiplica las sombras proyectadas en el revestimiento de acero cóncavo. La relación figura-fondo se invierte de modo que, a contraluz, el abrevadero se convierte en la sombra luminosa del árbol.

This installation by Mary Miss consists of seven steel-lined wooden troughs between 3 and 13 meters in length, and a small observation deck overlooking the sloping grounds of a two-acre pine grove. The channels run parallel to each other and clasp the base of a tree. The troughs are filled to the brim with perfectly still water, which multiplies the shadows cast on their concave steel lining. The figure-ground relationship is reversed and against the sunlight the trough becomes the tree's luminous shadow.

James Carpenter
Puente de cristal luminoso *Luminous Glass Bridge*
1989

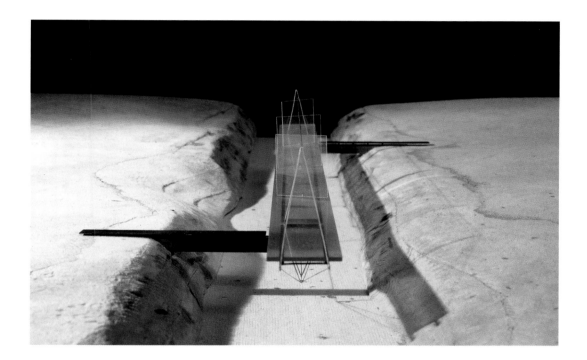

El *Puente de cristal luminoso* ha sido proyectado para atravesar el remanso de un pequeño río. La pasarela de cristal corre paralela al agua, orientando así los pasos en el sentido de (o contra) la corriente. El reflejo del agua que fluye se proyecta en la parte de abajo de la pasarela de cristal, creando por lo tanto una trasposición de la superficie del río. Los tres paneles de cristal giratorios situados verticalmente a lo largo del puente reflejan el paisaje de alrededor y los movimientos del visitante.

The Luminous Glass Bridge *has been designed to span the slowly moving waters of a small river. The glass deck runs parallel to the water, guiding one's steps along (or against) the river's current. The reflection of the moving water is projected onto the underside of the glass deck, creating a transposition of the river's surface. The three pivoting glass panels, which are located vertically along the bridge, reflect the surrounding landscape and the visitor's movements.*

Eulàlia Valldosera
El comedor: la figura de la madre *The Dining Room: Mother Figure*
Las Palmas de Gran Canaria, España, 1994-1995 *Las Palmas de Gran Canaria, Spain, 1994-1995*

A través de una cortina luminosa se puede observar la sombra de una figura femenina de pie junto a una mesa y sillas de comedor. Al entrar en el espacio de detrás de la mampara, el visitante se siente decepcionado: los únicos objetos que constituyen la escena doméstica son un sillón, una estufa de gas y diversas cajas de comida y medicamentos esparcidos por el suelo. Valldosera crea resueltamente una confusión entre la expectativa emocional y la circunstancia casual, con objeto de describir aquello más evanescente: nuestros deseos.

The shadow of a female figure standing next to a dining table and chairs can be observed through a luminous curtain. The visitor is disappointed upon entering the screened-off space: an armchair, a gas heater and various packages of food and medicines scattered on the floor are the only objects which constitute the domestic scene. Valldosera purposefully creates a confusion between emotional expectation and casual circumstance in order to describe that most evanescent of things: our own desires.

Gabriele Kiefer
Cine de sombras *Shadow Cinema*
Donaustrasse, Viena, Austria, 1995 *Donaustrasse, Vienna, Austria, 1995*

Diez espacios iluminados transforman la franja peatonal central de una importante calle vienesa en un escenario luminoso. De acuerdo con el carácter temporal de la instalación, las cámaras están construidas a base de tubos de andamio y recubiertas con lonas traslúcidas. El interior está amueblado con objetos hallados en el lugar. Los focos instalados en el suelo proyectan sombras distorsionadas tanto de los *objets trouvés* como de los transeúntes ocasionales en las paredes que semejan pantallas. Las distintas cajas de luz, colocadas una junto a otra, se alinean a lo largo de 270 metros de la Donaustrasse y se funden, al pasar en coche, en una única película continua.

Ten lit spaces convert the central pedestrian strip of a Viennese arterial road into a luminous stage set. In accordance with the temporary character of the installation, the chambers are made from scaffolding tubes, covered with translucent tarpaulins. The interiors are furnished with objects found on the site. Floodlights installed along the floor project distorted shadows of both the objets trouvés *and casual passers-by onto the screen-like walls. The additive pattern of the light boxes, which line 270 meters of the Donaustrasse, blur into one continuous film as you drive past.*

Yayoi Kusama
Habitación especular infinita: amor eterno *Infinity Mirrored Room: Love Forever*
1996

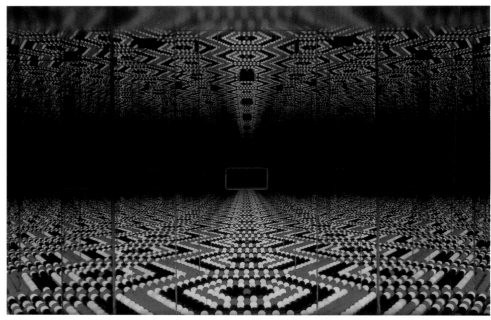

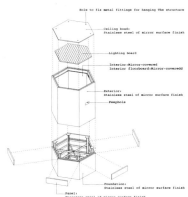

Amor eterno es una estructura de dos metros de altura construida a base de acero inoxidable, espejo y bombillas. El objetivo de este recurso ilusorio es crear un espacio virtual infinito en el seno de su estructura. Cuando se espía por la mirilla, lo que parece ilusorio se convierte en calidoscópico y, mediante el reflejo repetido de las bombillas, se crea una ilusión espacial de infinitos puntos y prismas. Atraídos hacia una realidad virtual, a los espectadores de esta obra se les niega la entrada y deben contentarse con la simple observación.

Love Forever *is a two-meter-high structure made from stainless steel, mirror and light bulbs. It is an illusionary device whose purpose is to create an endless virtual space within the confines of its structure. As one peeks through the peephole, what seems delusional becomes kaleidoscopic and, by the repeated mirroring of light bulbs, a spatial illusion of endless dots and prisms is created. Drawn into a virtual reality, viewers of this work are denied actual entry and have to content themselves with merely observing it.*

Serge Salat & Françoise Labbe
Aleph 9: cubo virtual II *Aleph 9: Virtual Cube II*
Singapur, 1994 *Singapore, 1994*

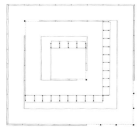

Madera, espejo y monitores de televisión son los únicos medios mediante los cuales Salat y Labbe crean la realización virtual de un universo abstracto. La ilusión de un espacio infinito, cuyas dimensiones reales son 10 x 10 x 2,1 m, se fundamenta en el principio de un armario especular. Las paredes cubiertas de espejos prolongan el espacio ilimitadamente en todas direcciones, con el observador en el centro de este universo artificial. La realidad se desvanece y la ficción se hace real.

Wood, mirror and television monitors are the simple means by which Salat and Labbe create the virtual realization of an abstract universe. The illusion of an infinite space, whose actual dimensions are 10 x 10 x 2.1 m, is based on the principle of a mirrored cabinet. The mirror-clad walls extend the space limitlessly in all directions with the observer at the center of this artificial universe. Reality disappears and fiction becomes real.

sonido. 1. **La sensación percibida por el oído.**

Disponemos de cinco sentidos con los que experimentar y saborear nuestro entorno. La vista es probablemente el sentido que tenemos más desarrollado, si bien nuestro oído es más afinado de lo que sospechamos. Debido a que vivimos en una cultura basada en lo visual, prestamos menos atención a nuestro oído y damos por sentado que su importancia es menor. Cuando nos encontramos temporalmente privados de la vista, nos percatamos de lo sumamente precisa que puede ser la percepción auditiva.

La audición posee un sentido de la correspondencia espacial distinto de la percepción visual. Miramos directamente lo que vemos y conectamos esta impresión con las imágenes previas que guardamos en la memoria. La percepción espacial se traduce en la lectura seriada de dichas imágenes, de modo similar a la secuencia de fotogramas que componen una película. La experiencia auditiva es menos vectorial. Experimentamos el sonido a más de 360 grados y en cualquier momento oímos los restos superpuestos de muchos sonidos. Semejante simultaneidad de percepción se traduce en una configuración espacial compleja que no está vinculada a ningún ángulo visual concreto. Gran parte de lo que nos rodea no es visible, si bien no deja de estar presente. El sonido puede hacer discernible lo oculto y sensible lo invisible. Como posee un riguroso control sobre nuestra estructura emocional, puede salvar grandes distancias en el tiempo y el espacio. La tensión de una película de terror se crea con el sonido; no puede existir ningún melodrama sin la música que lo acompaña. Una melodía concreta nos hará retroceder en el tiempo hasta el lugar donde la oímos por vez primera y nos traerá agradables asociaciones o bien recuerdos dolorosos. El sonido es invisible, si bien posee la facultad de cambiar el carácter del espacio que ocupamos.

sound. 1. *The sensation perceived by the sense of hearing.*

We have five senses with which to experience and savor our environment. Vision is probably the most developed of our senses, although our hearing is more finely tuned than we suspect. Due to the visually oriented environment we live in, we pay less attention to our hearing and take it for granted. If our vision is temporarily annulled we realize how exquisitely precise aural perception can be.

Listening has a different sense of spatial correspondence to visual perception. We look directly at what we see and connect this impression to the previous images stored in our memory. Spatial perception results from the serial reading of these images, not unlike the sequence of frames that make up a film. Aural experience is less vectorial. Sound is experienced over 360 degrees and at any given moment we can hear the overlapping residues of many sounds. This simultaneity of perception results in a complex spatial pattern that is not bound to a particular angle of vision. Much of what surrounds us is not visible, but nevertheless very present. Sound can make the hidden discernible and the invisible felt. It can bridge great distances in time and space, and thus has a firm hold on our emotional make-up. The tension of a thriller is created through sound; no melodrama can be touching without the accompanying musical score. A particular melody will bring us back in time to the place where we first heard it and retrieve pleasant associations or painful recollections. Sound is invisible but it has the power to change the character of the space we occupy.

Christian Marclay, *Amplificación*, 1995.
Instalación con seis ampliaciones fotográficas
sobre telón de algodón.
Iglesia San Stae, Venecia, Italia.

*Christian Marclay, Amplification, 1995.
Mixed-media installation with six photographic
enlargements on cotton scrim.
San Stae Church, Venice, Italy.*

Bill Fontana
Trenes lejanos *Distant Trains*
Berlín, Alemania, 1984 *Berlin, Germany, 1984*

El *environment* sonoro de Fontana se encontraba en el histórico solar de la Anhalter Bahnhof del centro de Berlín. En frente de los restos de la estación de ferrocarril en ruinas se enterraron ocho potentes altavoces. Desde sus invisibles posiciones proyectaban en el gran descampado el sonido grabado de la estación de trenes más concurrida de Colonia. Esta nueva ubicación de una fuente sonora ambiental poseía gran fuerza sugestiva. La viveza de los continuos anuncios de trenes, el ruido de los trenes, el chirrido de las señales y el crujir de las pisadas inquietas de la gente resucitaban recuerdos lejanos de un lugar bullicioso en una ciudad sin dividir.

Fontana's sound environment was located on the historic site of the Anhalter Bahnhof in the center of Berlin. Eight potent loudspeakers were sunk into the derelict site facing the remains of the ruined train station. These invisible speakers projected the recorded sound of Cologne's busiest railway station into the large empty field. This relocation of an ambient sound source had great suggestive power. The vividness of the constant train announcements, the sound of the trains, the squeaking of the signals and people's restless footsteps resurrected far-distant memories of a bustling location.

Bernhard Leitner
Espacio sonoro Buchberg *Sound Space Buchberg*
Graz, Austria, 1991

Espacio sonoro Buchberg es una instalación permanente de sonido situada en el patio superior del castillo de Buchberg. En los muros exteriores del patio se han fijado cuatro altavoces montados en unos cubos rojos. Colocados asimétricamente a la altura del último piso, estos altavoces emiten una serie de sonidos que se extienden por el patio. Algunos envuelven paulatinamente el recinto medieval, mientras que otros forman conexiones arqueadas o bien se expanden más allá de la cornisa del edificio. *Espacio sonoro Buchberg* es una intervención arquitectónica: crea una cubierta acústica en el patio del castillo con un material invisible: el sonido.

Sound Space Buchberg is a permanent sound installation in the upper courtyard of Buchberg Castle. Four loudspeakers mounted in red cubes are attached to the exterior walls of the courtyard. Asymmetrically placed at attic level, these speakers emit a series of sounds which stretch out over the courtyard. Some tones circle slowly through the medieval space, while others form arched connections or expand up beyond the building's cornice. Sound Space Buchberg is an architectonic intervention. It creates an acoustic ceiling in the castle courtyard with that invisible building material: sound.

Douglas Hollis
Recipientes para escuchar *Listening Vessels*
Berkeley, EEUU, 1987 *Berkeley, USA, 1987*

Recipientes para escuchar es, en palabras de Hollis, una ayuda auditiva, una herramienta para aumentar nuestra capacidad de escucha. Dos grandes formas parabólicas, cada una con un asiento incorporado, se hallan colocadas a unos 35 metros una de otra. La obra utiliza una regla básica de la física según la cual las ondas sonoras pueden concentrarse en, y ser reflejadas por, superficies cóncavas a través de una gran distancia con exactitud. La instalación es una excusa para conversar y permite un intercambio privado de voces que viaja sin obstáculos a través de un espacio amplio y abierto, cargado de ruido ambiental e interferencias sonoras. Se crea, así, un espacio sonoro efímero que se activa según las ganas que tenga la gente de comunicarse.

Listening Vessels is, as Hollis puts it, a hearing aid, a tool to extend our capacity to listen. Two large parabolic forms, each with an incorporated seat, are placed some 35 meters apart. The work employs a basic rule of physics by which sound waves can be focused on and reflected by concave surfaces over a large distance in a precise manner. The installation is a conversation piece that allows a private exchange of voices to travel unhindered across a wide, open space full of ambient noise and sound distractions. It creates an ephemeral sound space that is activated by people's will to communicate.

Bernard Leitner
El cilindro sonoro *The Sound Cylinder*
París, Francia, 1987 *Paris, France, 1987*

El sonido, lo mismo que la arquitectura, crea espacios con contornos flexibles cambiantes. *El cilindro sonoro* es un lugar donde el visitante puede contemplar la cualidad escultórica del sonido. Inserta en un jardín poblado de bambúes en el Parc de la Villette, la estructura cilíndrica crea un espacio íntimo en un rincón del concurrido parque. Para entrar en el espacio sonoro, el visitante, atraído por los primeros sonidos flotantes, debe descender por una larga escalera. Una vez dentro, puede escoger situarse cerca de uno de los ocho elementos de hormigón perforados que albergan una serie de altavoces, además de una pequeña fuente de agua corriente. Estos elementos generan espacios temporales con sus proyecciones sonoras, lugares que cambian de tamaño y configuración en función de la naturaleza de las grabaciones.

Sound, like architecture, creates spaces with changing contours. The Sound Cylinder is a place where the visitor can contemplate the sculptural quality of sound. Embedded in a valley-like bamboo garden of the Parc de la Villette, the cylindrical structure creates an intimate space at the edge of the busy park. To enter the sound space the visitor, attracted by the first floating sounds, descends a long stairway. Once inside, he can choose to position himself near one of eight perforated concrete elements, which house a series of speakers as well as a small source of running water. These elements create temporal spaces with their sound projections, places that change in size and configuration according to the nature of the recordings.

Hans Haake
Tiovivo *Merry-Go-Round*
Múnster, Alemania, 1997 *Münster, Germany, 1997*

Durante el 'Skulptur. Projekte' celebrado en Múnster se erigió un cercado cilíndrico, construido a base de tablones, junto a un monumento a los caídos de 1909, dedicado a las tres guerras de Bismarck contra la vecina Prusia. La instalación de madera de Haake, coronada con alambre de espinos, iguala el diámetro y la altura (6-7 m) del monumento en Mauriztor. En el interior da vueltas un tiovivo con luces y música (el himno nacional alemán interpretado a alta velocidad) que sólo es visible a través de minúsculas rendijas que se abren entre los ajustados tablones. El uso sugestivo del sonido —los sonidos, al igual que los olores, pueden despertar poderosas asociaciones y recuerdos— combinado con la imaginería implícita otorgaba una fuerte presencia emocional a la instalación.

During 'Skulptur. Projekte' in Münster, a cylindrical fence was erected out of raw construction planks next to a war memorial from 1909, dedicated to the three wars that Bismarck waged against Prussia's neighbors. Haake's wooden installation, crowned with barbed wire, matches the diameter and height (6-7 m) of the monument at Mauriztor. A children's carrousel with lights and music (the German national anthem, played at high speed) turns inside, visible only through tiny gaps in the tightly jointed wooden construction. The suggestive use of sound —sounds, like smells are potent triggers of association and memory— combined with the implicit imagery gave the installation a strong emotional presence.

Hali Weiss
Cámara de ecos *Echo Chamber*
Boston, EEUU, 1992 *Boston, USA, 1992*

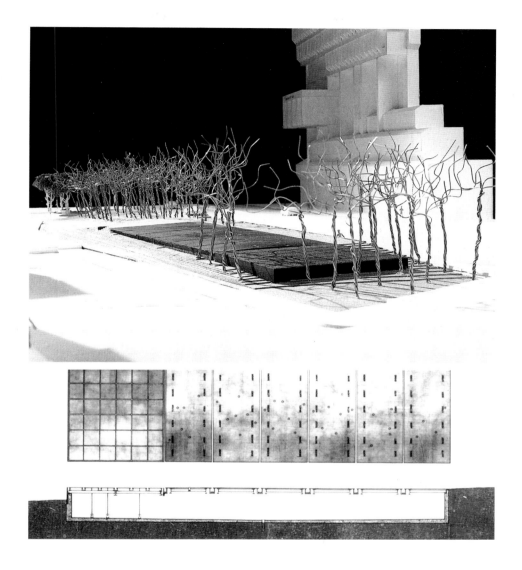

Situado en un parque lleno de árboles de un barrio histórico de Boston, este monumento conmemorativo se encuentra enterrado en el suelo. Consta de una gran cámara de ecos subterránea construida en acero, cuya superficie se puede pisar. Un conjunto de planchas de acero delgadas y rugosas descansan sobre unos muelles, de modo que quien las pisa siente como ceden y oye sonidos procedentes de la profunda cámara de eco interior. En este monumento en memoria del holocausto, cada paso provoca una respuesta auditiva que, a su vez, provoca otra, y así sucesivamente. Cada eco de baja intensidad reverbera inquietantemente en nuestra mente.

Set in a tree-filled park in a historic Boston neighborhood, the memorial is sunk into the ground. It consists of a large subterranean echo chamber in steel, whose surface can be walked on. A field of thin, rough steel plates are supported by underground coils, so that those walking on it can feel it give underfoot and hear sounds from the deep echo chamber below. In this Holocaust memorial, each of the footsteps elicits an auditory response which then elicits another and so on. Each low-toned echo reverberates uneasily in our minds.

Douglas Hollis
Jardín sonoro *Sound Garden*
Seattle, EEUU, 1983 *Seattle, USA, 1983*

La National Oceanic and Atmospheric Administration encargó a Hollis la realización de una instalación para la cima de una colina con vistas al lago Washington, en las proximidades de Seattle. Hollis erigió once unidades sonoras de ocho metros de altura en el terreno accidentado del noroeste. La parte superior de cada torre es sensible al viento que sopla en el lago, de modo muy parecido a una veleta tradicional. Unos tubos de órgano afinados incrustados en sus estructuras resuenan al paso del viento por los orificios; el tono varía según la velocidad del viento. Un camino serpenteante orquesta la visita al garantizar una secuencia de vistas cambiantes y de grados variables de exposición al viento. *Jardín sonoro* acentúa el impacto de este paisaje azotado por el viento, poniendo especial énfasis en su elemento más dominante.

The National Oceanic and Atmospheric Administration commissioned Hollis to propose an installation for a hilltop site overlooking Lake Washington, near Seattle. Hollis erected eleven sound units with a height of eight meters on this hilly northwest terrain. The upper section of each tower responds, much like a traditional weather vane, to the wind blowing across the lake. Tuned wind-organ pipes embedded in their structures resound as the wind blows across their apertures, their tone varying according to the wind speed. A meandering path orchestrates the visit by ensuring a sequence of changing views and varying grades of exposure to the wind. Sound Garden *heightens the impact of this windswept landscape by emphasizing its most pervasive element.*

Morten Kaels
Casas-sonido *Sound-Houses*
Norfolk, Inglaterra, 1989 *Norfolk, England, 1989*

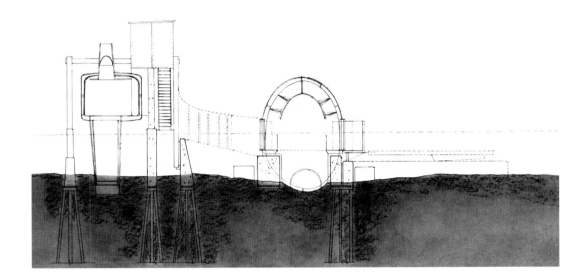

Kaels hace resonar el movimiento de las mareas mediante cinco *Casas-sonido* colocadas en una extensa área nebulosa de marismas, a poca distancia de la costa de Norfolk. En estas extensas marismas inundadas por las mareas, los edificios proporcionan protección a los buscadores de almejas que quedan aislados por el mar. Cada edificio posee una cámara resonante cuya membrana suspendida empieza a vibrar contra la coraza de metal a medida que el agua penetra en el espacio. Las *Casas-sonido* tienen distintas formas y tamaños, y cada una produce un tono diferente. El edificio más pequeño, con el tono más alto, está cerca de la orilla, mientras que la cámara con el zumbido más bajo se encuentra mar adentro. Cuando la niebla invade la zona, estos sonidos constituyen el único indicio de los movimientos traicioneros del mar.

Kaels makes the tidal movements of the sea resound by distributing five Sound-Houses *over a large, foggy marsh area off the Norfolk coast. In these extensive mudflats, which get flooded by the incoming tide, the buildings provide shelter to clam-diggers cut off by the sea. Each building has a resounding chamber, whose suspended membrane begins to vibrate against the metal hull as the water is driven through the space. The* Sound-Houses *vary in shape and size, each one producing a different tone. The smallest building with the highest pitch is close to shore, while the low humming chamber is furthest out to sea. As the fog comes down these sounds are the only indication of the sea's treacherous movements.*

James Turrell
Celda blanda (incomunicación) *Soft Cell (Solitary)*
Düsseldorf, Alemania, 1992 *Düsseldorf, Germany, 1992*

Celda blanda es una instalación que explora la percepción del sonido. Una cámara ennegrecida (2 x 2,5 x 3 m) envuelta por completo en espuma anecoide. El interior, recubierto con el mismo material, contiene una silla de espuma y una bombilla que se apaga cuando se cierra la puerta. El visitante se ve sumido en una oscuridad total, privado de cualquier estímulo visual o sonoro externo. Tras adaptarse al aislamiento absoluto, los sentidos se agudizan y empiezan a buscar cualquier tipo de información sensorial en semejante estado de incomunicación. Resulta una experiencia singular percatarse de que incluso los sonidos internos, como los latidos del corazón o la respiración, se oyen perfectamente amplificados en ausencia de interferencias ambientales.

Soft Cell is an installation that explores the perception of sound. A blackened room (2 x 2.5 x 3 m) is wrapped entirely in anechoic foam. Clad in the same material, the interior contains a foam chair and a light bulb, which is turned off with the closing of the door. The visitor is plunged into total darkness, cut off from any visual stimulation or external sound. After adjusting to the total isolation, one's senses sharpen, begin searching for data in this solitary confinement. It is a singular experience to realize how even internal sounds like one's heartbeat and breathing become clearly audible, amplified in the absence of ambiental distraction.

Adriaan Geuze
Jardín ciénaga *Swamp Garden*
Charleston, EEUU, 1997 *Charleston, USA, 1997*

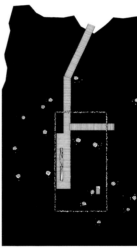

Durante el Spoleto Festival de Charleston, Geuze creó una habitación temporal en medio de una ciénaga de cipreses llena de pájaros y caimanes. La instalación se encontraba a unas 30 millas de la ciudad y sólo se podía llegar a ella en barca o a pie. Una pasarela de madera permitía al visitante cruzar la ciénaga para llegar a la gran estructura de musgo (7 x 10 x 20 m) aparentemente suspendida sobre la superficie del agua. Una vez sentado en el interior del pabellón, la vista quedaba obstruida por unas cortinas de musgo que recubrían, a modo de pliegues, unas hileras de alambres. Semejante vendaje natural agudizaba el oído del visitante e intensificaba la experiencia sonora de la ciénaga.

During the Spoleto Festival in Charleston, Geuze created a temporary room in the middle of a cypress swamp filled with birds and alligators. The installation was some 30 miles out of town and could only be reached by boat or on foot. A wooden deck allowed the visitor to cross the swamp and reach the large moss structure (7 x 10 x 20 m) seemingly suspended above the water's surface. One's sight, when seated inside the pavilion, was obstructed by curtains of moss draped over rows of wires. This natural blindfold sharpened the visitor's sense of hearing and intensified the sound experience of the swamp.

luz.   1. **La parte del espectro electromagnético detectada por el ojo humano.**

Sin luz no vemos nada. Se trata de la herramienta indispensable para la exploración visual de nuestro entorno. El color y la intensidad de la luz incidente condicionan las texturas y las formas de lo que nos rodea. La atmósfera de un espacio viene definida por su iluminación: el mismo ambiente puede ser, en función de la iluminación, frío e impersonal o cálido y acogedor.

Nuestro ritmo natural y nuestra rutina diaria están determinados por las horas de luz del día. El brillo del sol nos alegra el espíritu, e incluso infunde vida a las estructuras inmóviles con la proyección de sus sombras. La estela de su trayectoria luminosa modifica el uso de cualquier lugar dado. La luz natural define la distancia relativa entre los objetos por su gradación cromática atmosférica; sus tonalidades configuran las dimensiones de un lugar.

Los efectos de la luz artificial son mucho menos espaciales. Sin embargo, posee una amplia gama de colores, intensidades y aplicaciones que la convierten en un recurso ilusorio perfecto. Con su uso se modifica el perfil nocturno de las ciudades que se recorta contra el horizonte y se crean ambientes inmateriales en el escenario. Define el carácter de los espacios que se frecuentan por las noches, ampliando así las horas útiles del día.

Pese a su naturaleza inmaterial, la luz es tan eficaz como cualquier otra sustancia física. Posee una presencia a la que se puede dar forma y modelar como si se tratara de un material escultórico convencional.

light.   1. *That part of the electromagnetic spectrum detected by the human eye.*

Without light we cannot see. It is the indispensable aid to visual exploration of our environment. The color and intensity of incidental light conditions the textures and shapes of our surroundings. The atmosphere of a space is defined by its illumination; it can render the same interior as cold and impersonal, or warm and inviting.

Our natural rhythm and daily routine are fixed according to the daylight hours. The brightness of the sun lightens our spirit, and animates even immobile structures by projecting their shadows. The trail of its luminous journey alters the use of any given place. Natural light defines the relative distance between objects by their atmospheric color gradation; its tonal range gives a place its dimension.

The effects of artificial light are far less spatial. It does, however, possess an innumerable range of colors, intensities and applications that make it the perfect illusionary device. Its use alters the skyline of the nocturnal city and creates immaterial environments on the stage. It defines the character of spaces frequented on an evening-out, and thus extends the profitable hours of our day.

Despite its immaterial nature, light is as effectual as any physical substance. It possesses a presence that can be shaped and modelled as if it were a conventional sculpting material.

Hans Hemmert, *Sábado por la tarde en casa
en Neukölln*, 1995.
Instalación con globo de látex,
aire, el artista y sala de estar.
Caja de luz 43 x 62 cm.

Hans Hemmert, Saturday Afternoon at Home
in Neukölln, *1995.*
Mixed-media installation with latex balloon,
air, artist and living space.
Light box 43 x 62 cm.

Yann Kersalé
Théâtre Temps
Lyon, Francia, 1993 *Lyon, France, 1993*

La instalación permanente de luz *Théâtre Temps* se llevó a cabo conjuntamente con el proyecto de renovación de la Ópera de Lyon que realizó Jean Nouvel en 1993. La obra consta de un sofisticado sistema de luz conectado a un grupo de cámaras. Estas cámaras se encuentran situadas en la entrada principal, la de los artistas y la del personal. De este modo, el flujo de gente relacionada con la ópera queda registrado y se transforma en impulsos electrónicos, los cuales, a su vez, controlan la gama cromática (el rosa indica poca actividad; el rojo intenso, lleno) de la bóveda iluminada de la cubierta.

The permanent light installation Théâtre Temps *was realized during renovation work to the Lyon Opéra in 1993 by Jean Nouvel. The work consists of a sophisticated light system that is connected to a set of cameras. These cameras are placed at the main public entrance, the stage door and the staff access. The flow of people associated with the opera is thereby registered and transformed into electronic impulses, which in turn control the chromatic range (pink indicates little activity; deep red, a full house) of the illuminated roof vault.*

I. M. Pei & Associates
Grand Louvre
París, Francia, 1989 *Paris, France, 1989*

Esta gran pirámide de cristal transparente señala el nuevo acceso subterráneo a las tres alas del Louvre. Su vértice, a 24 metros de altura, es muy visible y constituye un indicador de la modernización de un monumento nacional así como un foco para nuevas conexiones peatonales con la ciudad a su alrededor. De día, esta gran estructura posee una cualidad liviana, en gran parte debido al uso de vidrio incoloro empleado para no distorsionar la imagen de la estructura histórica de fondo. De noche, cuando está iluminada, la construcción adquiere una escala monumental que representa, de modo efímero, el flujo de los numerosos visitantes que van a, y pasan por, esta institución cultural.

This large, transparent glass pyramid marks the new underground access to the three wings of the Louvre. Its 24-meter apex is widely visible, a pointer to the modernization of a national monument as well as a focus for new pedestrian links with the surrounding city. During the day the massive structure has a lightweight quality, largely due to the use of the colorless glass employed in order not to distort the image of the historic structure beyond. At night, when lit, the building takes on a monumental scale that represents, in an ephemeral way, the flow of the numerous visitors to and through this cultural institution.

Cai Guo-Qiang
Proyecto para extraterrestres nº 9: Movimiento fetal II *Project for Extraterrestrials No.9: Fetus Movement II*
Munden, Alemania, 1992 *Munden, Germany, 1992*

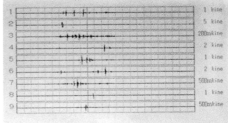

El artista chino Cai Guo-Qiang organizó uno de sus explosivos acontecimientos para la muestra internacional de arte Documenta. En una base militar alemana enterró 90 kilos de pólvora a lo largo de tres círculos concéntricos. Guo-Qiang llenó el círculo interior con agua de un río próximo, quedando en el centro una pequeña isla donde el artista permaneció sentado los nueve segundos que duró la explosión. En este tiempo estuvo conectado a un encefalógrafo y a un cardiógrafo que iban registrando tanto los movimientos de la tierra como el latido del corazón y las ondas encefálicas del artista.

The Chinese artist Cai Guo-Qiang staged one of his explosive events for the international art show 'Documenta'. On a German military base he buried 90 kg of gunpowder along three concentric circles. The innermost circle was filled with the water of a nearby river. At its center remained a small island, on which the artist sat throughout the nine seconds of the explosion. During the detonation of the work he was connected to an encephalograph and cardiograph, which recorded both the earth's motions and the heartbeat and brain waves of the artist.

Jacques Rouveyrollis
Concierto y espectáculo para Jean Michel Jarre *Concert and Spectacle for Jean Michel Jarre*
París, Francia, 1990 *Paris, France, 1990*

Un despliegue excepcional de recursos y energía fue empleado en la producción de un singular espectáculo de música y luz que presenciaron dos millones de personas. Durante dos horas, el luminotécnico Rouveyrollis transformó la zona de La Défense de París pintando su arquitectura con intensos colores luminosos y modificando la fisonomía de los edificios con grandes proyecciones. Unos rayos de luz dibujaban estructuras evanescentes en el cielo que eran reflejadas por las fachadas especulares de los edificios adyacentes. Por un breve espacio de tiempo, la arquitectura monumental de este barrio de París se convirtió en una lúdica instalación efímera.

Exceptional resources and energy were deployed to produce a unique spectacle of music and light for an audience of two million people. For the duration of two hours the lighting designer Rouveyrollis transformed the area of Paris-La-Défense by painting its architecture with strong luminous colors and altering the face of the buildings with large projections. Light beams drew evanescent structures into the air which were reflected by the mirrored facades of the adjacent buildings. For a short period of time the heavy monumental architecture of this Paris neighborhood was converted into a playful, ephemeral installation.

Olafur Eliasson
Thoka
Hamburgo, Alemania, 1995 *Hamburg, Germany, 1995*

En el interior de una caja de cristal de 10 x 10 m que recubre la fachada del Hamburger Kunstverein, Eliasson orga-nizó un encuentro entre la luz y la niebla. Unas lámparas halógenas amarillas iluminaban la superficie de la caja de cristal, que incorporaba ventiladores y generadores de niebla. El espectáculo dio comienzo al atardecer, cuando la nueva fachada empezó a brillar con una intensa luz amarilla y los ventiladores empezaron a lanzar niebla hacia el cielo. Las condiciones climáticas imperantes condicionaron la intensidad y la duración de la iluminación que, a su vez, modificó el aspecto del edificio durante la noche.

Inside a 10 x 10 m glass box, which conceals the facade of the Hamburger Kunstverein, Eliasson staged an encounter between light and fog. Yellow halogen lamps illuminated the surface of the glass box, which incorporated ventilators and fog-generators. The spectacle began at dusk, when the new facade started to glow with intense yellow light and the fans to push waves of fog into the sky. The prevailing climatic circumstances affected the intensity and duration of the illumination, which in turn changed the appearance of the building during the night.

Peter Zumthor
Kunsthaus Bregenz
Bregenz, Austria, 1997

El museo de arte se encuentra en la orilla del lago Constanza. La fachada consta de grandes paneles de vidrio delicadamente grabados al ácido que otorgan un aspecto extraño e inmaterial al edificio. El viento se filtra por las juntas abiertas del cerramiento autoportante en forma de escamas, que oculta la estructura monolítica de hormigón del interior. El vidrio absorbe la luz cambiante del cielo y refleja el color del lago. La luz del día penetra en los altos falsos techos encima de las salas de exposición, las cuales reflejan las condiciones meteorológicas del exterior invisible.

The art museum stands on the shore of Lake Constance. Its facade consists of large sheets of finely etched glass, which give the building a strange, immaterial appearance. The wind passes through the open joints of the self-bearing, scale-like skin hiding the monolithic concrete structure of the interior. The glass absorbs the changing light of the sky and mirrors the color of the lake. Daylight enters the man-high cavities above the exhibition galleries, which reflect the weather conditions of the invisible exterior.

James Turrell
Sede de la red de compañías afiliadas de gas *Central Headquarters, Affiliated Gas Company Network*
Leipzig, Alemania, 1997 *Leipzig, Germany, 1997*

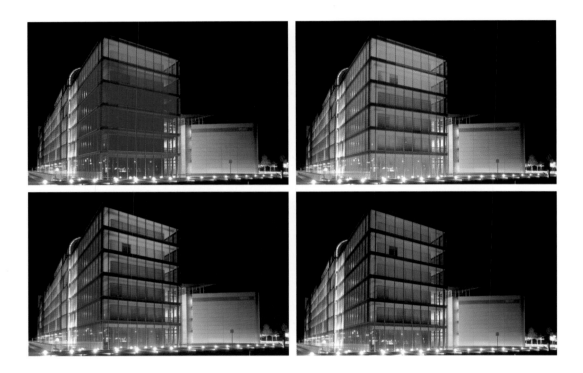

La sede de las compañías de gas, proyectada por los arquitectos Becker, Gewers, Kühn & Kühn, está provista de un sistema de energía inteligente que reacciona automáticamente a los factores externos como la temperatura, la meteorología y la luz. Turrell preparó un programa especial para la parte pública del edificio que alberga las salas de juntas. Al anochecer, la fachada de vidrio empieza a brillar con colores que van desde el rosa pálido al naranja y el rojo que, posteriormente, se convierten en distintas tonalidades de azul. La instalación de luz de Turrell orquesta una espectacular puesta de sol artificial que compensa la falta de unión entre el lugar (un polígono industrial de Leipzig) y su entorno natural.

The headquarters of the Gas Company, designed by architects Becker, Gewers, Kühn & Kühn, is equipped with an intelligent energy system that reacts automatically to external factors like temperature, weather and light. Turrell prepared a special program for the public section of the building, which houses the conference rooms. As dusk falls, the glass facade begins to glow in colors ranging from pale pink to orange and red, subsequently turning to various shades of blue. Turrell's light installation orchestrates a spectacular artificial sunset to compensate for the missing link between the site (an industrial estate in Leipzig) and its natural surroundings.

James Carpenter
Campo de luz dicroica *Dichroic Light Field*
Nueva York, EEUU, 1995 *New York, USA, 1995*

El *Campo de luz dicroica* fue diseñado para dar vida al muro exterior liso de un gimnasio situado en la Columbus Avenue de Nueva York. Un plano de vidrio semirreflectante y texturado con 216 aletas recubiertas de cristal dicroico otorgaba al plano exterior la ilusión de profundidad. En esta red cristalina se acentúa y capta cualquier diferencia del nivel de luz dentro de la zona visible del cielo, incluidas las sombras de nubes y edificios. Los paneles de vidrio cambian de color con el variable ángulo de los rayos del sol; de este modo, los ciudadanos pueden ser más conscientes de las condiciones cambiantes del día en el seno del denso contexto urbano de Manhattan.

The Dichroic Light Field *was designed to animate the blank exterior wall of a health club on Columbus Avenue, New York. A plane of textured, semi-reflective glass with 216 coated glass fins give an illusionary depth to the flat exterior wall. Any difference in light level within the visible area of the sky, including shadows from clouds and buildings, is emphasized and captured in this crystalline net. The glass panels change color with the altering angle of the sun, and heighten the citizens' awareness of the day's changing conditions within the dense urban context of Manhattan.*

Wolfgang Winter & Berthold Hörbelt
Casa-caja 1128.8/639.9 *Crate Building 1128.8/639.9*
Múnster, Alemania, 1997 *Münster, Germany, 1997*

Casa-caja 1128.8/639.9 es uno de los tres pabellones de información proyectados y construidos por Winter y Hörbelt para el acontecimiento "Skulptur. Projekte" celebrado en Múnster. El uso de un objeto *ready-made* —una caja de botellas estándar— como material de construcción, es sorprendentemente apropiado para semejante construcción efímera. El resultado es una estructura parecida a un esqueleto ondulante cuyas paredes parecen sólidas desde el exterior. En el interior, los orificios superpuestos de las cajas filtran la luz de modo sutil, creando motivos cambiantes de luz y sombra en colores cálidos luminosos.

Crate Building 1128.8/639.9 *is one of three information pavilions designed and built by Winter and Hörbelt for the 'Skulptur. Projekte' event in Münster. The use of a readymade —a standard German bottle crate— as building material is surprisingly befitting for such a short-lived structure. The result is an undulating skeleton-like structure, whose walls seem solid from the exterior. Inside, the overlapping apertures of the crates filter the light in a sophisticated way and create changing patterns of light and shade in warm luminous colors.*

Itsuko Hasegawa
Pabellón de la Expo *Expo Pavilion*
Nagoya, Japón, 1989 *Nagoya, Japan, 1989*

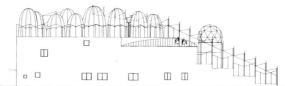

El *Pabellón de Diseño de la Exposición Universal de Nagoya* formaba parte de la Exposición Universal celebrada en Japón en 1989. Este pabellón dedicado al interiorismo fue construido para albergar un teatro con un aforo de 200 personas e incluye una amplia zona al aire libre en la cubierta. La compleja distribución geométrica de este plano exterior escalonado comprende zonas de espera, de relajación y lugares de reunión que se disimulan con un intrincado revestimiento de pantallas metálicas perforadas. El transparente aluminio perforado desdibuja el perfil del edificio y adquiere un aspecto móvil con los cambios sutiles de la luz interior y exterior.

The Nagoya World Design Expo Pavilion *formed part of Japan's World Exhibition in 1989. Dedicated to interior design, this pavilion was built to house a theater seating an audience of 200 and includes an extensive outdoor area on its roof. The complex geometrical layout of this stepped exterior plane incorporates waiting areas, zones for relaxation and meeting places, which are disguised by an intricate overlay of perforated metallic screens. The see-through perforated aluminum blurs the building's outline and takes on a mobile aspect with the subtle changes of internal and external light.*

Jae Eun Choi
Pabellón de arte reciclado *Recycled Art Pavilion*
Taejon, Corea del Sur, 1993 *Taejon, South Korea, 1993*

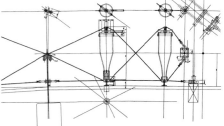

El *Pabellón de arte reciclado* fue construido como espacio de exposición internacional para los artistas participantes en la Expo '93 de Taejon. La parte visible del edificio es una gran cúpula en forma de cono construida a base de 60.000 botellas recicladas de distintas formas y colores. Se desarrolló una estructura de tracción mixta para sostenerlas. Las botellas fueron recogidas por todo Corea y Japón. La multitud de tonalidades y las cualidades reflectantes de las botellas concentran una luz mágica en los espacios subterráneos del edificio.

The Recycled Art Pavilion *was built to serve as an international exhibition space for artists at the Taejon Expo '93. The visible part of the building is a large, cone-shaped dome made from 60,000 recycled bottles of various shapes and colors. A special hybrid tensile structure was developed to accommodate the use of these bottles, which were collected from all over Korea and Japan. The multitude of color shades and the reflective qualities of the bottles funnels a magical light into the subterranean spaces of the building.*

Hans Nevidal
Imágenes en el techo *Roof Pictures*
Viena, Austria, 1987 *Vienna, Austria, 1987*

Nevidal modifica una pequeña parte de la vista de los tejados vieneses con una intervención denominada *Imágenes en el techo.* Consiste en la sustitución parcial de las placas de fibrocemento existentes por tejas de resina de colores y transparencias variables. Su impacto visual varía según las condiciones meteorológicas y la hora del día. Durante el día proyecta manchas de color de distinta intensidad en el suelo del último piso; durante la noche dibuja una grieta luminosa en el tejado.

Nevidal alters a small part of the Viennese roofscape with an intervention called Roof Pictures. *It involves the partial replacement of existing asbestos-cement shingles with colored resin roof-tiles of varying transparency. Its visual impact varies with the weather conditions and time of day. During daylight hours it projects colored patches of differing intensity onto the floor of the attic flat; at night it traces a luminous crevice on the roof.*

Vito Acconci & Studio
Klapper Hall Plaza
CUNY, Nueva York, EEUU, 1995 *CUNY, New York, USA, 1995*

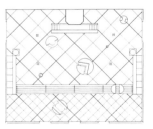

La intervención de Acconci en la plaza situada delante del edificio del Departamento de Inglés ha convertido lo que antes era una vía de circulación del campus en un lugar atractivo donde poder estar. Cada una de las ocho nuevas esferas que pueblan la plaza (basadas en las dos esferas de hormigón que ya existían en la entrada del edificio) presenta un corte que las convierte en distintos tipos de asiento. La luz brilla desde el interior de las esferas, iluminando, así, el mobiliario y proporcionando más claridad a la plaza durante la noche.

Acconci's intervention in the square in front of the English Department building has converted what was a circulation route for the campus into an inviting place to be. Each of the eight new spheres (based on the two existing concrete spheres at the entrance of the building) populating the square is cut to provide a different kind of seating. Light shines from within the spheres, providing illumination for the furniture and additional light for the plaza at night.

Martha Schwartz
Mejoras en la plaza HUD *HUD Plaza Improvements*
Washington, DF, EEUU, 1998 *Washington, DC, USA, 1998*

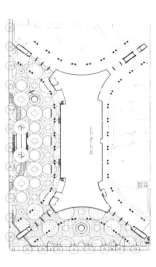

La plaza, situada delante del Housing and Urban Development Building (1968) de Marcel Breuer, había servido fundamentalmente como lugar desde donde poder admirar el edificio. La colocación de unos nuevos asientos circulares situados debajo de marquesinas en forma de anillo ha proporcionado un lugar donde los 4.800 empleados del departamento pueden sentarse durante el descanso. Por la noche, iluminadas desde el interior, las marquesinas parecen flotar. Su suave brillo proporciona un grado de iluminación íntimo, poco corriente en grandes espacios públicos.

The square in front of Marcel Breuer's Housing and Urban Development Building from 1968 had mainly served as a space from which to admire the building. Schwartz's addition of circular seating arrangements below ring-shaped canopies has provided a place for the 4,800 employees of the department to use during their office breaks. Lit from within, the canopies seem to float at night. Their soft glow provides an intimate level of illumination which is unusual for large public spaces.

James Turrell
Agua pesada *Heavy Water*
Poitiers, Francia, 1991 *Poitiers, France, 1991*

Agua pesada es una pieza interactiva realizada para Le Confort Moderne de Poitiers en 1991. Dedicada a la materiali-dad de la luz, la obra explora el efecto psicológico de la luz en nuestros sentidos. Consta de una piscina de 12 x 12 m encima de la cual se halla un cubo abierto donde se puede contemplar un "pedazo de cielo". El brillo de la luz interior se disemina por toda la piscina, invitando al visitante a entrar en el pozo luminoso sumergiéndose en el agua y, una vez dentro, salir a la superficie. En ella puede descansar en un banco suspendido entre el agua y el cielo y contemplar la materialización de la luz.

Heavy Water *is an interactive piece realized for Le Confort Moderne in Poitiers in 1991. Dedicated to the materiality of light, the work explores light's psychological effect on our senses. It consists of a 12 x 12 m swimming pool, with a boxed-off 'skyspace' overhead. The glow of the contained light spreads throughout the pool, inviting the visitor to enter the luminous shaft by diving under the water and surfacing inside. Here he can rest on a ledge, suspended between water and sky, to contemplate the materialization of light.*

Steven Holl
Museo de la ciudad *Museum of the City*
Cassino, Italia, 1998- *Cassino, Italy, 1998-*

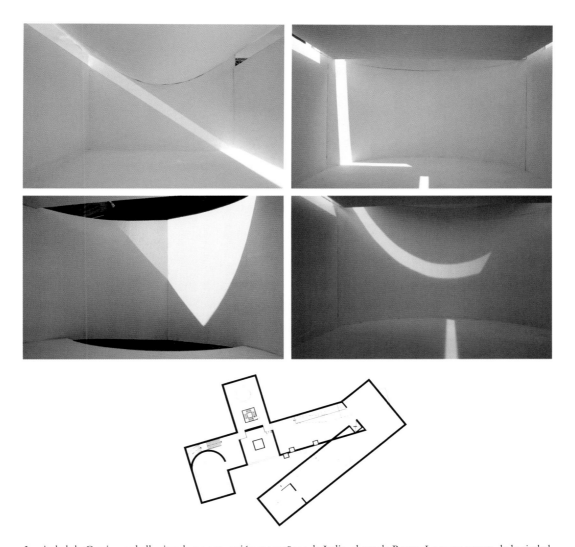

La ciudad de Cassino se halla situada en una región montañosa de Italia, al sur de Roma. La mayor parte de la ciudad fue destruida durante la II Guerra Mundial; el *Museo de la ciudad* forma parte del plan de reconstrucción. El museo expone piezas históricas como las pertenecientes a la abadía destruida, cuya presencia reconstruida en la cima de la montaña puede observarse desde una ventana del museo. La dualidad tangible entre historia y presencia crece con la orquestación especial de la luz natural: la luz se manipula mediante huecos de diferentes formas perforados en la cubierta y las paredes del edificio, generando unos siempre cambiantes dibujos de luz en cada una de las siete salas de exposición. Semejante coreografía luminosa unifica la historia y el presente de Cassino mediante la celebración del paso del tiempo.

The city of Cassino is located in a mountainous region of Italy, south of Rome. Most of the town was destroyed in WW2 and the Museum of the City *forms part of the reconstruction plan. The museum exhibits historic artefacts like those of the destroyed Abbey, whose reconstructed presence on the mountaintop is on view from a window in the same space. The tangible duality of history and presence is increased by the special orchestration of natural light. The daylight is manipulated by variously shaped apertures along the ceilings and the walls of the building, creating an ever-changing light pattern in each of the seven galleries. This luminous choreography unifies Cassino's history and the present by celebrating the passing of time.*

observacion. 1. Situación, posición, lugar o rito que debe ser observado. 2. Acto de reconocer y advertir un hecho o suceso.

Observar exige la máxima concentración por nuestra parte. Normalmente escogemos un lugar tranquilo, incluso protegido, para disfrutar de esta actividad. Las características de la atalaya escogida difieren del tipo de vigilancia, si bien la búsqueda de un punto de vista privilegiado es común a todas. Una posición elevada permitirá divisar toda la zona, mientras que un punto de observación camuflado ofrecerá una visión íntima. Cualquier modificación de nuestra posición física en relación con lo observado alterará nuestra percepción de ello; cualquier cambio en nuestra línea visual ofrecerá una vista diferente de la habitual.

El punto de vista es fundamental para cualquier observación; su elección tiene una importancia estratégica. Los visores panorámicos, los miradores y las señales con el símbolo de una cámara fotográfica indican, por lo general, lugares especiales o vistas panorámicas. Encuadrar una vista es extraerla de su contexto: este aislamiento acentúa su trascendencia.

La función de un mirador es ofrecer una visibilidad perfecta. Esta cualidad convierte en ambigua la relación entre el observador y lo observado, puesto que precisamente cuando el espectador se sitúa en dicho mirador es cuando él mismo se hace visible, intercambiándose así el papel del observador con el de lo observado.

observation. 1. A situation, position, place or rite that must be observed. 2. The act of recognizing and noting some fact or occurrence.

To observe commands our full concentration and we commonly choose a quiet, even protected, place to indulge in this activity. The features of the selected vantage-point differ with the nature of the surveillance, but the pursuit of a privileged viewpoint is common to all. An elevated position will give a commanding view of the surrounding area, while a camouflaged observation point will grant the possibility of an intimate sighting. Every modification of our physical position in relation to the observed will alter our perception of it; every change of our sightline will render a different view of the familiar.

The viewpoint is critical to any observation; its choice of strategic importance. Telescopes, observation platforms and signs displaying the image of a camera are common indicators of special sites or panoramic vistas. To frame a view is to remove it from its context, its isolation heightening its significance.

The function of an observation platform is to provide perfect visibility. This very quality renders the relationship between the observer and the observed ambiguous, as it is precisely when the viewer is on such a platform that he himself comes into view, exchanging the role of the observer for the role of the observed.

Shoei Yoh, *Torre observatorio*, Prospecta 1992.
Niebla, luz y sonido enmarcados en una
estructura de hormigón, 32 x 32 x 32 metros.
Toyama, Japón, 1992.

Shoei Yoh, Observatory Tower, Prospecta 1992.
Fog, light and sound framed
in a concrete structure, 32 x 32 x 32 meters.
Toyama, Japan, 1992.

Eduardo Chillida
Elogio del horizonte *Eulogy to the Horizon*
Gijón, España, 1989 *Gijón, Spain, 1989*

Esta enorme escultura de hormigón se halla situada como una atalaya en un promontorio entre el puerto y el ensanche de Gijón. Pese a su tamaño, está estrechamente relacionada con la escala humana, mediando entre el vasto océano y el desprotegido visitante. Mediante el encuadre de la espectacular vista crea un lugar para mirar y escuchar. Cuando el observador entra en el espacio, centra su mirada en la línea del horizonte y sintoniza con el sonido del mar, que se amplifica en el interior de la estructura.

This immense concrete sculpture is sited like a lookout post on a promontory between the port and the new town of Gijón. Despite its size it is closely related to the human scale, mediating between the vast ocean and the exposed visitor. It creates a place for looking and listening by framing the spectacular view. When the visitor steps into its space, he focuses on the rim of the horizon and connects to the sound of the sea which is amplified within the structure.

Mario Botta
Capilla en el monte Tamaro *Mount Tamaro Chapel*
Ticino, Suiza, 1996 *Ticino, Switzerland, 1996*

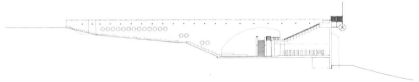

La capilla se encuentra en el cantón suizo del Ticino en Alpe Foppa y se llega allí a pie o bien en teleférico. El edificio, dedicado a Santa Maria degli Angeli, está sólidamente enclavado en la topografía en declive de la ladera de la montaña con un paso elevado de 65 metros de largo colgado sobre el precipicio, que culmina en un mirador con vista panorámica al valle de Lugano; desde ahí, unas escaleras descienden hasta la capilla, situada justo debajo. Su emplazamiento espectacular, a 1.567 m sobre el nivel del mar, convierte el tránsito por el paseo hasta llegar al mirador en parte de la experiencia religiosa.

The chapel is situated in the Swiss Canton of Ticino at Alpe Foppa and can be reached by foot or cable car. The building, dedicated to Santa Maria degli Angeli, is firmly inserted into the sloping topography of the mountainside with a 65-meter-long walkway projecting into mid-air. This elevated path culminates in an observation deck with a sweeping view of the Lugano Valley, from which stairs descend to the chapel itself, located directly below. Its spectacular siting, 1,567 m above sea-level, makes the passage along the walkway to the observation deck part of the religious experience.

Dani Karavan
Ma'alot
Colonia, Alemania, 1979-1986 *Cologne, Germany, 1979-1986*

En hebreo, *Ma'alot* significa 'escalones', 'escalera de mano' o 'terraza'. La escultura de Karavan, situada en el centro de Colonia, conecta la catedral gótica, el Museo Ludwig y las orillas del río Rin mediante una larga rampa al nivel de la acera que culmina en una estructura parecida a una torre de 10,8 metros de altura. El paseo une distintas etapas de la historia en uno de los lugares más emblemáticos de la ciudad; su coronamiento vertical se divisa perfectamente desde la orilla de enfrente. La torre presenta aberturas de distintos tamaños que encuadran vistas del río y del puente, por un lado, y de la catedral y la trayectoria del sol, por otro.

Ma'alot in Hebrew means steps, ladder or terrace. Karavan's sculpture in the center of Cologne connects the Gothic cathedral, the Museum Ludwig and the banks of the River Rhine with a long, pavement-level ramp which finally rises to a tower-like structure some 10.8 meters high. The path links various stages of history on one of the city's most emblematic sites, its vertical conclusion clearly visible from the opposite riverbank. The tower has openings of various sizes that frame the views of the river and bridge on one side, and the cathedral and the movement of the sun on the other.

Tom Heneghan
Mirador con vista al mar *Sea-Viewing Platform*
Namerikawa, prefectura de Toyama, Japón, 1992 *Namerikawa, Toyama Prefecture, Japan, 1992*

El mirador se compone de dos partes: una delicada rampa y un tosco muro de hormigón junto al cual se eleva la rampa. El proyecto explora las distintas condiciones físicas que se experimentan durante el ascenso. Al principio, el muro protege la rampa de los fuertes vientos procedentes del mar, por lo que éste sólo se revela a través de una pequeña abertura en el muro. A medida que los visitantes suben por la rampa, su ojo también va ascendiendo por el muro, cuya parte superior se alinea momentáneamente con el lejano horizonte. Un poco más arriba, el muro ya no protege a los visitantes, que vuelven a sentir toda la fuerza del viento procedente del mar. Finalmente llegan al mirador, donde pueden sentarse protegidos por pantallas de vidrio que enmarcan la vista del mar y de la cordillera Tateyama.

The platform is composed of two parts —a delicate ramp and a heavy concrete wall beside which the ramp rises. The design explores the different physical conditions experienced during the ascent. At first the wall masks the ramp from the strong winds blowing off the sea, and the sea is revealed only through a small opening cut through the wall. As visitors progress higher up the slope, their eye-level rises above the wall, the top of which is momentarily aligned with the distant horizon. Rising further, the visitors emerge from the protection of the wall, to feel again the full strength of the sea wind. Eventually they arrive at the viewing platform where they sit, protected by glass screens which frame the view out to sea, and inland to the Tateyama mountain range.

Claus Bury
El momento *The Moment*
Neuenkirchen, Alemania, 1989 *Neuenkirchen, Germany, 1989*

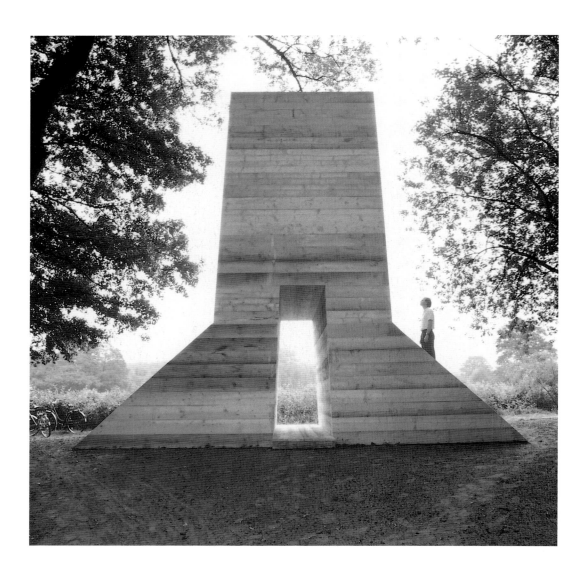

Esta gran escultura de madera se ha insertado en el exuberante paisaje del norte de Alemania, entre un grupo de árboles y un lago. *El momento* hace de mediador entre el paisaje y el hombre. El exterior monumental toma su tamaño del paisaje circundante, mientras que el interior está relacionado con las medidas del cuerpo humano. La exploración de esta escultura, que conecta atalayas, escondites, pasajes y escaleras de modo teatral, agudiza la percepción de la naturaleza.

This large wooden sculpture has been inserted into the lush north German landscape between a group of trees and a lake. The Moment acts as a mediator between landscape and man. The monumental exterior takes its scale from the surrounding landscape, while the interior relates to the size of the human body. The exploration of this sculpture, which connects lookouts, hiding places, passages and stairs in a theatrical fashion, heightens the perception of nature.

Tom Heneghan & Kazuhiro Ando
Mirador arbóreo *Tree Platform*
Parque forestal de Adatara, prefectura de Fukushima, Japón, 1998 *Adatara Forest Park, Fukushima Prefecture, Japan, 1998*

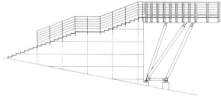

El mirador se encuentra en la cima de una colina. A medida que el terreno desciende, los escalones de hormigón suben y las pasarelas de madera se abren en forma de V, penetrando en las copas de los árboles. Es un lugar para investigar de cerca a los seres vivos que habitan las copas de los árboles, así como el carácter cambiante de los árboles de hoja caduca.

The platform stands on the crest of a hill. As the land form descends the concrete steps rise up, and the V-plan wooden decks stretch out on both sides, deep into the treetops. It is a place to investigate, at close range, the life-forms that inhabit the treetops and the changing character of the deciduous leaves.

Christian Hasucha
Expedición LT28E *Expedition LT28E*
Turquía, 1992 *Turkey, 1992*

En mayo de 1991, Hasucha emprendió un viaje de un año en su taller móvil, que le llevó a cruzar la mayor parte de los países que bordean Europa y Asia Menor. En su vehículo llevaba un amplio repertorio de herramientas y materiales que le permitió trabajar en los lugares escogidos. Un día paró en medio del altiplano que se extiende entre Kirklareli y Dereköy, en Turquía. Detalle XVI: "La colina era de poca altura y de arena. Resultó fácil excavar el agujero y realizar los cimientos para la escalera. Al día siguiente me atreví a ascender por primera vez. Las ovejas balaron a lo lejos. Reanudamos la marcha".

In May 1991 Hasucha undertook a year-long trip in his mobile workshop, crossing most countries on the fringe of Europe and Asia Minor. His vehicle carried a large selection of tools and equipment, allowing him to work wherever he chose. One day he stopped on the high plateau somewhere between Kirklareli and Dereköy in Turkey. Detail XVI: "The hill was flat and sandy. It was easy to excavate the hole and cast the foundation for the ladder. The next day I risked the first ascension. The sheep bleated in the distance. We drove on."

Mike Cadwell
Torre-arca *Ark-Tower*
Lakeville, Connecticut, EEUU, 1984 *Lakeville, Connecticut, USA, 1984*

De ocho metros de altura, *Torre-arca* es una figura que emerge solitaria en medio de la ladera de una colina. Se sube a la torre por una escalera de mano cuya forma telescópica exagera la percepción del ascenso. Al entrar en el arca, uno se tranquiliza, pues las gruesas paredes ofrecen una grata barrera a la escarpada caída. Este recinto contemplativo, equipado con armarios, un escritorio plegable y una mecedora, ofrece una vista panorámica de la campiña a su alrededor.

Ark-Tower stands 8 meters high, a solitary figure stepping up a farm hillside. One ascends the tower by a ladder whose telescoping configuration exaggerates perception of the climb. When entering the ark one is reassured by short thick walls that provide a welcome barrier to the precipitous drop. This contemplative space, fitted with cabinets, a foldaway desk and a rocking chair, affords a panoramic view of the surrounding countryside.

Allan Wexler
Edificio de cuatro muros abisagrados horizontales *Four Horizontal Hinged Walls Building*
1996

Este proyecto es una de las 35 maquetas que investigan la forma arquetípica de casa. Cada pieza se centra en una técnica constructiva o en una función determinada y su relación con el paisaje. El objetivo es crear configuraciones nuevas e imprevisibles que nos den cuenta de cómo nos relacionamos con el entorno. En *Edificio de cuatro muros abisagrados horizontales*, unos contrapesos de piedra permiten que los cuatro muros se abran horizontalmente, transformando, así, la casa en un pabellón abierto.

This project is one of thirty-five models that investigate the archetypal house form. Each piece focuses on one construction technique or a specific function and its relationship to the surrounding landscape. The aim is to create new and unpredictable configurations that tell us something about the way we relate to what surrounds us. In Four Horizontal Hinged Walls Building, *stone counterweights enable all four walls to hinge horizontally, transforming the house into an open pavilion.*

Hans Peter Wörndl
GucklHupf
Mondsee, Austria, 1993

GucklHupf surgió como proyecto para el Festival Regional Austriaco de 1993, cuyo tema era "lo extraño". Wörndl le sacó jugo a este tema construyendo, junto al lago Mondsee, una estructura de madera en constante cambio. Las paredes estaban construidas con una serie de paneles unidos con bisagras practicables desde el interior de varias maneras con la ayuda de unas poleas. Cada panel desplazado ofrecía una vista distinta del entorno, cada modificación de la pared y la ventana redefinía sus límites espaciales. Fue desmontado al cabo de un año.

GucklHupf *emerged as a project in the 1993 Austrian Regional Festival, which had 'strangeness' as its theme. Wörndl picked up on this theme, building a constantly changing wooden structure on a site next to Lake Mondsee. Its walls were made of a series of hinged panels, which could be opened in different ways with the help of pulleys from the interior. Each displaced panel granted a different view of the surroundings, each alteration of wall and window redefined its spatial limits. It was dismantled a year later.*

Jorge Pardo
Embarcadero *Pier*
Múnster, Alemania, 1997 *Münster, Germany, 1997*

Para Skulptur. Projekte Münster, Pardo realizó un embarcadero que se adentra unos 40 metros en el lago. El final del embarcadero de madera está compuesto por un pabellón que encuadra la vista del lago y de la ciudad de Múnster. El interior abrigado y la máquina expendedora de tabaco aluden a una estancia larga, mientras que los peldaños descendentes invitan a reflexionar en torno a la superficie del agua. Si bien la situación parece propiciar la contemplación, la estructura en forma de embarcadero sugiere movimiento y hace pensar en una inminente partida.

For 'Skulptur. Projekte Münster', Pardo created a pier which stretches some 40 meters into the lake. The head of the wooden pier is formed by a pavilion, which frames the view of the lake and the city of Münster. The sheltered interior and cigarette machine imply an extended stay, the descending steps inviting one to ponder the water's surface. While the situation seems conducive to contemplation, the jetty-like structure is suggestive of motion and raises expectancy of an imminent departure.

John Körmeling
Casa de partida *Starting House*
Harkstede, Holanda, 1992 *Harkstede, Holland, 1992*

En el discurso inaugural de la torre mirador del campo de regatas de Harkstede, Körmeling se dirigió a los asistentes de la siguiente manera: "Señoras y caballeros, hola hierba, hola ovejas, qué tal vacas…" Con este comienzo poco común, el arquitecto se suma a la yuxtaposición, de algún modo surreal, de su torre mirador con el paisaje verde poblado de vacas. El material y la forma de la estructura aluden a la típica vista de grandes barcos flotando (el dique impide ver el canal) por el bucólico paisaje holandés.

For the inaugural speech of the observation tower of Harkstede's boat-race circuit, Körmeling addressed himself to all present with "Ladies and gentlemen, hello grass, hello sheep, hi cows…". With this unusual beginning the architect adds to the somewhat surreal juxtaposition of his boat-race tower with the green landscape inhabited by cows. The material and form of the structure refer to the commonly observed view of large ships floating (the dike obscures the view of the canal) across the pastoral Dutch landscape.

Carsten Höller & Rosemarie Trockel
Casa para cerdos y personas *House for Pigs and People*
Kassel, Alemania, 1997 *Kassel, Germany, 1997*

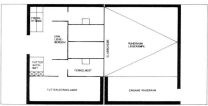

La *Casa para cerdos y personas* es un rectángulo de 6 x 12 metros y 4 de altura, y está construida con hormigón armado. Es una casa dividida por un gran espejo de sentido único. Se accede a la "mitad para las personas" por el lateral que conduce a un plano inclinado donde el visitante y puede tumbarse y descansar mientras contempla los cerdos (no puede ni oírlos ni olerlos) que viven en la otra parte de la casa. El edificio brinda al observador la oportunidad de visualizar la distancia entre el espectador y el objeto y de contemplar su papel como observador de una feliz inconsciencia.

House for Pigs and People *measures 6 x 12 m, is four-meters-high and made of reinforced concrete. It is a divided house, partitioned by a large one-way mirror. The 'people half' is entered from the side, leading to an inclined plane where the visitor might lie down and rest while viewing the pigs (they cannot be smelt nor heard) which inhabit the other side of the house. The building offers an opportunity for the observer to visualize the distance between viewer and object and to contemplate their blissfully unaware existence.*

Brookes Stacey Randall
Pabellón para barcas *Boating Pavilion*
Streatley-on-Thames, Inglaterra, 1997 *Streatley-on-Thames, England, 1997*

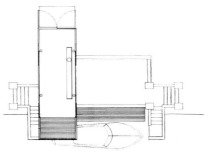

Este *Pabellón para barcas* no está diseñado para guardar una barca, sino para sustituirla. El cliente, que ya no puede ir en barca debido a su avanzada edad, encargó un edificio que le permitiera participar de modo pasivo de la vida fluvial. La estructura en voladizo del *Pabellón para barcas* se cierne sobre la superficie del agua como si quisiera hacer creer a su ocupante que va en barca. Todos los muros exteriores son de vidrio para acentuar el efecto de estar sobre el río. El resultado, una estructura transparente escrupulosamente diseñada, adquiere una cualidad teatral. El observador queda expuesto a la vista, convirtiendo lo que sería una contemplación pasiva en participación activa.

This Boating Pavilion *is not designed to house a boat, but to substitute it. The client, who can no longer use his boat due to advancing age, commissioned a building that would allow him to participate passively in the river life. The cantilevered floor structure of the* Boating Pavilion *hovers over the water's surface as if to make the occupant believe that he is water-borne. All the outside walls are made of glass so as to emphasize the illusion of being on the river. The result is a carefully engineered transparent structure, which acquires a stage-like quality. The observer is framed and himself on view, converting what could be passive contemplation into active participation.*

Tadashi Kawamata
Pasarela-puente *Bridge Walkway*
Barcelona, España, 1996 *Barcelona, Spain, 1996*

Pasarela-puente, de Kawamata, constituía un añadido temporal al Museu d'Art Contemporani de Barcelona, obra de Richard Meier. Como parte de la exposición *Miradas (sobre el Museo)*, el artista construyó un puente que salvara la distancia económica, cultural y física entre el museo recientemente terminado y su entorno inmediato. Se accedía a la estructura desde una salida de emergencia de la primera planta del museo, que conducía al visitante hasta un gran muro de hormigón que delimita la nueva zona cultural y entre los bloques de viviendas de un casco antiguo de la ciudad en decadencia.

Kawamata's Bridge Walkway *was a temporary addition to Richard Meier's Barcelona Contemporary Art Museum. As part of the exhibition 'Views (of The Museum)' the artist created an observation platform which bridged the physical, cultural and economic gap between the recently completed museum and its immediate surroundings. The structure was accessed from an emergency exit of the first floor of the museum and brought the visitor to an imposing concrete wall which delimits the new cultural territory, with a view of the dense, rundown housing blocks of the old city center.*

Shigeru Ban
Casa de muros cortina *Curtain Wall House*
Tokio, Japón, 1995 *Tokyo, Japan, 1995*

La *Casa de muros cortina* se encuentra en el denso centro de Tokio. El cliente se había acostumbrado al estrecho contacto vecinal que supone vivir en una casa tradicional japonesa, por lo que quiso mantener la misma ligazón social en su nueva casa moderna. La materialización que hace Shigeru Ban del encargo va más allá de cualquier referencia a la relación tradicionalmente fluida entre el exterior y el interior. La *Casa de muros cortina* es un escenario espectacular que hace algo más que favorecer el contacto vecinal: convierte al habitante en actor y a su vida en una representación continua.

The Curtain Wall House *is situated in the dense downtown area of Tokyo. The client had grown accustomed to the close neighborly contact that living in a traditional Japanese house entails. He wanted to maintain the same social connection in his new modern house. Shigeru Ban's actualization of the brief goes way beyond any reference to the traditionally fluid relationship between exterior and interior.* Curtain Wall House *is a spectacular stage, which does more than favor neighborly contact: it converts the inhabitant into an actor and his life into a continuous performance.*

excavación. 1. Cavidad resultante de vaciar, escarbar o cavar. 2. Extracción de material superpuesto de los restos o estructuras de una época o civilización anteriores a la actual.

Por regla general prestamos poca atención al suelo que pisamos. Sólo cuando se escarba esta superficie y se revela su sustancia subyacente recordamos los múltiples estratos que tiene. La tierra es una materia densa, heterógenea, formada por distintos materiales en varios estados de transformación. Cada estrato, sea éste roca, esquisto, arena o tierra, contiene información sobre su origen y proceso de formación. Asimismo, contiene huellas de culturas desaparecidas desde hace mucho tiempo, fenómenos naturales e historias personales que permanecen latentes a la espera de que alguien los revele. Excavar es, en parte, poner al descubierto el pasado, hurgar en el tiempo.

La madriguera o la cueva constituyen el refugio primigenio. El proceso de creación de un espacio protector mediante la excavación es tan antiguo como la necesidad humana de refugiarse. El concepto de construcción es, sin embargo, bastante distinto en la actualidad. En general proyectamos en una hoja en blanco y creemos que cualquier lugar es un terreno virgen o un espacio vacío a la espera de ser moldeado o construido. Excavar o vaciar algo sugiere que el material base ya existe. Esta base posee rasgos propios y propiedades condicionantes que afectan a la naturaleza del espacio creado en su seno. La relación entre el material y el espacio es interdependiente; el proceso de creación, doble: lo que se quita a uno es añadido al otro; se trasponen el negativo y el positivo. La excavación transforma lo sólido en vacío y sustituye la oscuridad por la luz.

excavation. 1. A cavity formed by cutting, digging or scooping. 2. The removal of superposed material from the remains or structures of an age or civilisation prior to the present.

We usually pay little attention to the ground on which we tread. It is not until this surface is scratched and the underlying substance revealed that we are reminded of its multi-layered nature. Earth is dense, composite matter formed of a variety of materials in various stages of transformation. Each stratum, be it rock, shale, sand or soil comprises information about its origin and process of formation. It contains traces of long-since disappeared cultures, natural occurrences and personal histories which lie dormant and waiting to be revealed. To excavate is to partially uncover the past, to delve through time.

The burrow or cave is the primordial refuge. The process of creating a protective space by excavation is as old as man's need for shelter. It is however, quite different to our contemporary concept of construction. We tend to begin designing on a white sheet of paper, and to think of any site as virgin ground or empty space waiting to be formed and filled. To excavate or carve into something suggests that the base material already exists. This base has its own conditioning properties and features which affect the nature of the space created within it. The relationship between material and space is interdependent, the process of creation twofold: what is removed from one is added to the other; negative and positive are transposed. Excavation transforms solid into void, and replaces darkness with light.

Micha Ullman, *Biblioteca*, 1995.
Recinto subterráneo con estanterías, estructura
de hormigón (9,5 x 9,5 x 7 m), vidrio.
August Bebel Platz, Berlín, Alemania.

*Micha Ullman, Library, 1995.
Subterranean space with shelves, concrete
structure (9.5 x 9.5 x 7 m), glass.
August Bebel Platz, Berlin, Germany.*

Eduardo Chillida
Tindaya
Montaña de Tindaya, Fuerteventura, España, 1995- *Montaña de Tindaya, Fuerteventura, Spain, 1995-*

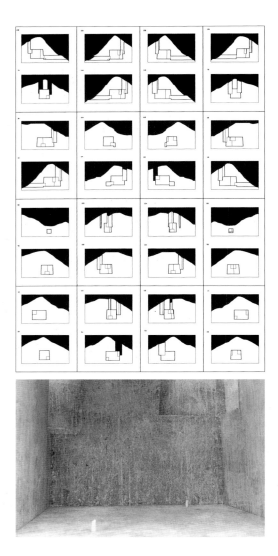

El proyecto de Tindaya no es una simple excavación gigante, sino la introducción de espacio y luz en lo más recóndito de la montaña. Mediante la extracción de materia sólida, Chillida ha ido moldeando y dirigiendo la luz y su reflejo a medida que ésta penetra en las entrañas de Tindaya. El proyecto consta de tres elementos: una cámara central en forma de cubo (de unos 50 x 50 m); una entrada situada a un nivel inferior para no interrumpir la vista del horizonte desde el interior; y, por último, dos haces de luz vertical, dedicados al Sol y a la Luna. La escultura monumental de Chillida crea un espacio entre el cielo y la tierra desde el que se puede contemplar el horizonte y la luz de los cuerpos celestes.

The project at Tindaya is not just a giant excavation, but the introduction of space and light into the recesses of the mountain. By the extraction of solid matter Chillida has shaped and directed the light and its reflection as it penetrates the entrails of Tindaya. The proposal consists of three elements: a central cube-shaped chamber (approx 50 meters along each side); an entrance on a lower level so as not to disturb the view of the horizon from the interior; and lastly two vertical light-shafts, dedicated to the sun and the moon. Chillida's monumental sculpture creates a space between the sky and the earth from which to contemplate the horizon and the light of the celestial bodies.

Tadao Ando
Teatro en la roca *Theater in the Rock*
Oya, Utsunomiya, Japón, 1996- *Oya, Utsunomiya, Japan, 1996-*

Oya es un pueblo de tradición minera cuya piedra, famosa desde que Frank Lloyd Wright la empleara en su Hotel Imperial, se extrae de una cantera. En una visita al lugar, Ando vio un largo rayo de luz en una de las cuevas negro azabache que le causó una honda impresión. Decidió añadir una dimensión nueva al proceso minero mediante el control del tamaño y la forma de los agujeros formados por la extracción de piedra. La "arquitectura resultante del negativo" crea espacios que, tras haber servido a su fin comercial, pueden utilizarse para exposiciones y actuaciones. Uno de estos espacios será utilizado como teatro. Su tamaño viene definido por las limitaciones estructurales de la piedra. El auditorio tiene 30 metros de altura y está excavado bajo una capa de roca de 15 metros de grosor. Para llegar a este recinto hay que descender por varios tramos de escaleras que, separados por sólidos pilares cuadrados, penetran en el seno de la mina.

Oya is a traditional mining town where the Oya rock, famous ever since Frank Lloyd Wright used it in his Imperial Hotel, is quarried. During a visit, Ando saw a long streak of light in one of the jet black caves, which left a lasting impression on him. He decided to add a new dimension to the mining process by controlling the size and shape of the holes made to extract the stone. The resulting 'architecture of the negative' creates spaces which, after having served their commercial end, can be used for exhibitions and performances. One of these spaces will be used as a theater. Its dimension is defined by the stone's structural limitations. The auditorium is 30-meters- high, excavated under a 15-meter-thick layer of rock. To reach this space a series of stairs, separated by massive square columns, descend deep into the mine.

Hannsjörg Voth
Espiral dorada *Golden Spiral*
Llanura de Marha, Marruecos, 1992-1996 *Marha Plain, Morocco, 1992-1996*

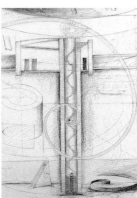

La escala de esta gran construcción en espiral está directamente relacionada con las vastas llanuras del desierto marroquí. El muro de contención se va alzando lentamente desde la meseta rocosa hasta terminar en un mirador de seis metros de altura. Una rampa de tierra conduce al centro de la espiral desde donde el visitante desciende 27 escalones hasta llegar a la zona de estar. Desde aquí se puede bajar por la oscura escalera de caracol, aparentemente infinita, que cubre el estrecho hueco del pozo hasta llegar a la superficie del agua, un verdadero tesoro en semejante entorno árido y pedregoso.

The scale of this large spiral-shaped construction relates directly to the immense, flat plains of the Moroccan desert. Its retaining wall rises slowly from the boulder-strewn plateau and ends in a six-meter-high observation platform. An earth ramp leads into the center of the spiral, from where the visitor descends 27 steps to the living area. From there one can walk down the dark, seemingly endless spiral staircase which lines the narrow shaft of the well to reach the water's surface, a veritable treasure in this dry and stony landscape.

Hans Hollein
Vulcania
Auvernia, Francia, 1994-2000 *Auvergne, France, 1994-2000*

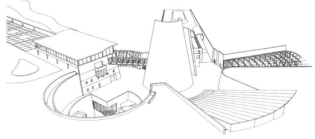

El Museo del Volcán está situado en el interior del cráter de un volcán extinto, a mil metros de altitud. Sin ninguna otra edificación vecina, el museo constituye un prominente punto de referencia de este paisaje protegido. El complejo, que incluye un museo, salas de conferencias y de investigación, un teatro, un invernadero y un restaurante, ocupa una superficie de 18.176 m². La secuencia de la entrada celebra el descenso a la Tierra y el consiguiente viaje oscuro y subterráneo por una larga rampa que baja hasta la fuente del calor y el fuego.

The Volcano Museum is situated within the crater of an extinct volcano at an altitude of 1,000 meters. With no other edification in the vicinity, the museum is a prominent marker in this protected landscape. The complex, incorporating a museum, research and conference facilities, a theater, greenhouse and restaurant, extends over a floor area of 18,176 m². The entrance sequence is highly charged, celebrating the descent into the earth and the subsequent dark, subterranean journey on a long downward ramp to the source of the heat and fire.

Daniel Buren
Aparcamiento Célestins *Parking Célestins*
Lyon, Francia, 1994 *Lyon, France, 1994*

La colaboración de Buren con el arquitecto Michel Targe ha transformado el aparcamiento subterráneo de Lyon en un espectáculo bajo tierra. En el profundo cilindro con doble circulación para coches se han practicado unas aberturas en arco, iluminadas de modo especial en todas las plantas, para maximizar la transparencia de la estructura. Un periscopio, situado en la plaza junto al teatro Célestins, permite a los peatones observar directamente el corazón de la estructura. El espejo colocado en ángulo en el fondo del pozo central gira a una velocidad de 10 km por hora en sentido contrario a los coches, por lo que se produce un efecto desconcertante, ya que su movimiento lento y descentrado distorsiona el reflejo del edificio. Mirar por este periscopio es como mirar al ojo vibrante de un insecto enorme atrapado bajo tierra.

Buren's collaboration with Michel Targe, architect, has converted Lyon's underground parking lot into a subterranean spectacle. A deep cylinder with dual circulation for cars comprises a series of specially lit, arched openings around each level to maximize the transparency of the structure. A periscope on the square next to the Célestins Theater enables the passers-by to see directly into the heart of the structure. The angled mirror at the bottom of the central well turns at a speed of 10 km per hour in the opposite direction to the cars. Its effect is disconcerting, as it distorts the building's reflection with its slow, acentric movement. Looking through this periscope is like looking into the rolling eye of a huge insect, trapped underground.

Dirrix Van Wylick
La nueva Heuvelplein *The New Heuvelplein*
Tilburg, Holanda, 1992 *Tilburg, Holland, 1992*

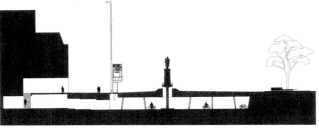

La plaza principal de Tilburg, De Heuvel, ha sido rediseñada para adaptarla al aumento de tráfico y de visitantes. Con objeto de satisfacer estas nuevas necesidades, la ampliación de la histórica plaza consistió en la creación de un espacio subterráneo en su subsuelo. El aparcamiento de bicicletas, el acceso a los diversos restaurantes y la conexión entre las tiendas situadas en lados opuestos de la plaza se encuentran ahora bajo tierra, descongestionando así la plaza. De no ser por la estatua del príncipe Guillermo II, apenas habría indicio alguno de estas concurridas intersecciones subterráneas. Este monumento histórico, que ahora descansa sobre un pedestal de vidrio y que sirve también como ventana al subsuelo, se cierne de forma extraña sobre la superficie de la plaza.

Tilburg's main square, De Heuvel, has been redesigned to accommodate the increased level of traffic and visitors. In order to meet these new demands, the size of the square was extended by the creation of a subterranean space below the historic plaza. The parking of bicycles, access to the different restaurants and connection between shops on the opposite sides of the square are now all below ground level, leaving the square less congested. There would be little indication of these busy subterranean intersections were it not for the statue of Prince Willem II. This historic monument, now supported by a glass plinth which doubles as a window to the underground level, hovers strangely above the surface of the square.

Vito Acconci
Sub-Urb
Artpark, Lewiston, Nueva York, EEUU, 1983 *Artpark, Lewiston, N.Y., USA, 1983*

Sub-Urb es un complejo de viviendas subterráneo situado en Lewiston, cerca de Nueva York. El edificio consta de una estructura de 100 metros de largo que se ha invertido y hundido en el suelo. Las viviendas están cubiertas con paneles deslizantes. Cuando el panel está en la posición central, el complejo se hace accesible: cada uno de los huecos contiene una escalera. Una vez dentro, el visitante puede acceder a los 14 ambientes alineados a ambos lados del pasillo central. Acconci construyó este prototipo de casa subterránea a plena vista de la expansión suburbana de casas unifamiliares de la zona.

Sub-Urb *is an underground housing complex in Lewiston, near New York. The building consists of a 100-meter-long structure, which has been inverted and sunk into the ground. It is roofed with panels that slide along metal tracks. When the panel is placed centrally the complex becomes accessible: each other alcove contains a staircase. Once inside the visitor can access the fourteen interior spaces that line the central corridor. Acconci's subterranean model house was built in full view of the adjacent suburban sprawl of single-family homes.*

Pierre d'Avoine
Casa invisible *Invisible House*
Londres, Inglaterra, 1999- *London, England, 1999-*

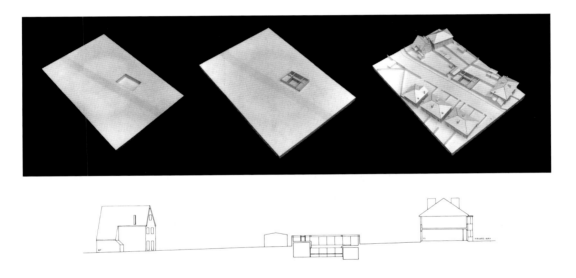

La *Casa invisible* se encuentra en una típica urbanización de viviendas de entreguerras en la zona oeste de Londres. El proyecto fue diseñado específicamente para un solar situado en un jardín trasero que pasa casi inadvertido rodeado de vallas, invernaderos, montones de abono y campos de césped. Al encontrarse semienterrada, la nueva casa se hace invisible tras una verja de dos metros de altura. El patio privado, alrededor del cual se distribuyen las zonas de trabajo y de vivienda, proporciona luz abundante. De este modo, la *Casa invisible* ni ve ni es vista por sus vecinos, antes bien, establece una conexión entre el cielo y la tierra.

The Invisible House *is situated in a typical suburban housing estate from the inter-war period in West London. It has been designed specifically for a back garden site where it passes almost unperceived among the landscape of garden fences, greenhouses, compost heaps and lawns. By burying the building in the ground, the new house becomes invisible behind a two-meter-high fence. Generous light is provided by the private courtyard, around which all living and working areas are organized. In this way the* Invisible House *neither overlooks nor is overlooked by its neighbors, but provides a connection between earth and sky.*

Pepe Camps & Jaume Giralt Subirà
Cloacam
Barcelona, España, 1992 *Barcelona, Spain, 1992*

Cloacam, de Camps y Giralt, consistió en la sustitución de unas 20 tapas de hierro fundido de bocas de alcantarilla en una de las calles comerciales más prestigiosas de Barcelona. El simple hecho de sustituir las tapas de hierro fundido por otras de vidrio transparente introdujo una nueva dimensión de la ciudad para el transeúnte ocasional. Esta instalación de objetos *ready-made*, distribuidos por el paseo central de la Rambla de Catalunya, brillaba seductoramente por la noche debido al amplio sistema de iluminación instalado por todo el alcantarillado. La visión de la profundidad espectacularmente iluminada de los intestinos de la ciudad planteaba preguntas sobre la presunta solidez del suelo y la precariedad de nuestros pasos.

The replacement of some twenty cast-iron manhole covers on one of the most prestigious shopping streets of Barcelona formed part of Cloacam *by Camps and Giralt. The simple move of replacing the cast-iron covers with clear glass lids introduced a new dimension of the city to the casual passer-by. This installation of readymade objects along the central pedestrian promenade of the Rambla de Catalunya glowed seductively at night as an extensive illumination system had been installed throughout the sewage system. A look into the dramatically lit depth of the city's intestines raised questions about the presumed solidity of the ground and the precariousness of our footsteps.*

Christos Papoulias
Habitaciones urbanas para los "Oggetti in Meno" de Pistoletto *Urban Rooms for Pistoletto's 'Oggetti in Meno'*
Liubliana, Eslovenia, 1997 *Ljubljana, Slovenia, 1997*

Habitaciones urbanas es un proyecto para una serie de espacios expositivos subterráneos de dimensiones reducidas, construidos en el muro de contención del río de Liubliana. El proyecto, pese a estar situado a nivel con el resto de la ciudad, es casi invisible. Papoulias coloca una serie de habitaciones, pasillos y plataformas por debajo del nivel de la calle, dejando así libre el paseo junto al río. Los espacios excavados albergan los grandes *Oggetti in Meno* de Pistoletto. El reflejo luminoso que se proyecta en los estanques de poca profundidad que se hallan justo debajo del lucernario y la vista íntima del río convierten la galería de arte semisecreta en un sugerente pasaje por el centro histórico de la ciudad.

Urban Rooms *is a project for a series of small-sized subterranean exhibition spaces built into the embankment of the Ljubljana River. At city level, the project is almost invisible. Papoulias inserts a series of rooms, corridors and platforms below street level, leaving the river promenade unobstructed. The excavated spaces house Pistoletto's large* Oggetti in Meno*. The luminous reflection of the skylight in the shallow pools located directly below and the intimate view of the river converts the semi-secret art gallery into a suggestive passage through a historic part of the town.*

Dan Graham & Jeff Wall
Pabellón de los niños *Children's Pavilion*
1989-1991

El *Pabellón de los niños* es un edificio público situado junto a un área de recreo. Los recuerdos infantiles de explorar cuevas y cavar túneles subterráneos hallan su representación física en esta estructura a la que se accede a través de un portal circular al pie de un montículo. El pabellón se construye en el interior de una colina ajardinada cuya cima se conecta con el interior cilíndrico mediante un gran óculo. Todo el interior se refleja en esta superficie convexa de vidrio especular. El óculo, cuya cara exterior es cóncava, distorsiona la imagen que el niño ve de sí mismo, agrandando su imagen cuando mira el interior oscuro con los luminosos retratos infantiles de Jeff Wall.

The Children's Pavilion *is a public building located beside a playground. Childhood memories of exploring caves and digging underground tunnels find their physical representation in this subterranean structure which is entered through a round portal at the bottom of a mound. The pavilion is built into a landscaped hill, with a large oculus connecting its summit to the drum-like interior. The whole interior is subsumed and reflected on this convex surface of mirrored glass. Concave on its exterior face, the oculus distorts the child's view of himself, enlarging his own image as he looks down into the dark space and its luminous children's portraits by Jeff Wall.*

B. V. Doshi
Galería de arte Hussain Doshi Gufa *Hussain Doshi Gufa Art Gallery*
Ahmedabad, India, 1994

Hussain Doshi Gufa es una galería de arte subterránea situada en el perímetro del Campus de Tecnología y Planificación Medioambiental de Ahmedabad. La única prueba de la existencia de la galería, cuyos 280 m² de espacio expositivo están enterrados en el suelo, son una serie de conchas y cúpulas orgánicas de color blanco brillante. El interior amorfo está iluminado por lucernarios que proyectan haces de luz móviles sobre el suelo ondulante. El espacio serpenteante continuo, dividido sólo por las columnas inclinadas y las intersecciones de los muros de contención curvilíneos, ofrece una multiplicidad sorprendente de perspectivas.

The Hussain Doshi Gufa is an underground art gallery on the perimeter of the Ahmedabad Environmental Planning and Technology Campus. A series of gleaming white organic shells and domes are the only evidence of the gallery, whose 280 m² exhibition space is buried in the ground. The amorphous interior is illuminated by protruding skylights which project moving shafts of light onto the undulating floor. The continuous meandering space, divided by the leaning columns and the intersections of the curvilinear retaining walls, offers a surprising multiplicity of vistas.

memoria. 1. Evocación consciente o inconsciente de cosas pasadas. 2. Imagen, impresión o cualquier otro vestigio mental de alguien o algo conocido o experimentado.

El deseo de aferrarse a lo transitorio y conservar un momento pasajero forma parte de la naturaleza humana. Aunque somos capaces de retener una experiencia valiosa en la memoria, por lo general estamos tentados a congelarla en el tiempo otorgando a este recuerdo una presencia material. Las fotografías y los recuerdos de viaje son los ejemplos más corrientes de objetos de interés personal que detallan las distintas etapas de nuestra vida. Sus homólogos institucionales son los monumentos y las reliquias. Sin embargo, un monumento conmemorativo no es sólo la manifestación física de un recuerdo colectivo, sino que representa la voluntad de recordar y aprender del pasado.

No obstante, no siempre necesitamos semejante presencia física para poder recordar. Un sonido o un olor pueden despertar un recuerdo; incluso una palabra o un color nos devolverán al pasado. No nos hace falta una imagen completa ni una reconstrucción exacta de una situación para rememorar el tiempo pasado, puesto que la memoria humana funciona por asociación. Un fragmento o detalle diminuto puede resucitar aquello desaparecido desde mucho tiempo atrás. El poder de asociación de nuestra memoria está directamente relacionado con la significación subjetiva del recuerdo.

memory. 1. The conscious or unconscious evocation of things past. 2. An image, impression or other mental trace of someone or something known or experienced.

The desire to hold onto the transient and to preserve a passing moment is part of human nature. Although we are quite able to retain a meaningful experience in memory, we are commonly tempted to freeze it in time by giving this recollection a material presence. Photos and souvenirs are the most common examples of personal memorabilia that trace the various stages of our lives. Their institutional counterparts are monuments and relics. Yet a memorial is not just the physical manifestation of a collective memory: it represents a determination to remember and to learn from the past.

But we do not always need such a physical prompt as an aid to remembering. A sound or a smell can stir a recollection: even a word or color will make us return to the past. We do not need a complete picture or exact reconstruction of a situation to reminisce, as human memory works by association. A tiny fragment or detail is capable of resurrecting that which has long since disappeared. The associative power of our memory is directly relative to the subjective significance of the recollection.

Rachel Whiteread, *Casa*, 1993.
Hormigón armado vertido y proyectado,
aproximadamente 4 x 12 x 7 m.
Grove Road 193, Londres, Inglaterra.

Rachel Whiteread, House, *1993.*
Sprayed, cast reinforced concrete,
approx 4 x 12 x 7 m.
193 Grove Road, London, England.

Melissa Gould
Planta *Floor Plan*
Linz, Austria, 1991

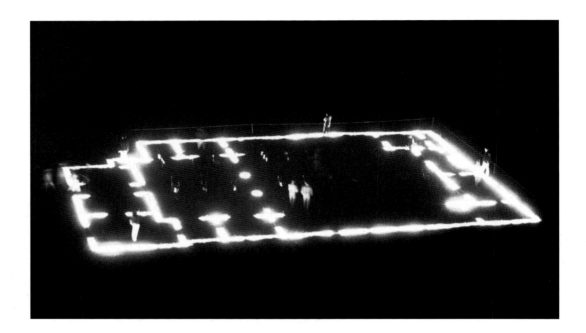

Esta instalación que iluminaba las orillas del Danubio formaba parte integrante del Ars Electronica Festival de Linz en su edición de 1991. Al dibujar con luz, Gould evocaba los hechos que condujeron a la destrucción de una sinagoga decimonónica de Berlín durante la *Reichs Kristallnacht (La noche de los cristales rotos)*. La autora recreó el edificio bajo la forma de un plano transitable a escala real (18 x 25 m), trazando la planta del edificio original con 110 tubos fluorescentes semienterrados en el suelo.

This installation piece illuminated the banks of the River Danube as part of the 'Ars Electronica' Festival in Linz in 1991. By drawing with light Gould evoked the memories of the events that led to the destruction of a 19th-century Berlin synagogue during the The nigth of the broken glass. *She recreated the building in the form of a life-size 'walk-in blueprint' (18 x 25 m) by tracing the original architectural plan with 110 fluorescent tubes set into the ground.*

Makoto Ishii
Expo océano *Ocean Expo*
Okinawa, Japón, 1975 *Okinawa, Japan, 1975*

Como contribución a la Expo Océano de Okinawa, Makoto Ishii instaló un sistema de iluminación debajo del agua a lo largo de un arrecife de coral de aproximadamente un kilómetro de largo. Sesenta lámparas, situadas a entre cuatro y diez metros de profundidad, iluminan la superficie del océano para conmemorar a las víctimas de una de las batallas más sangrientas de la guerra del Pacífico. Su forma alargada centellea en el agua azul verdosa y se ha convertido en un punto de referencia poético e inquietante para los pescadores que se hacen a la mar al amanecer.

As part of the 'Ocean Expo' in Okinawa Makoto Ishii installed a system of underwater lighting along an approximately one-kilometer-long stretch of coral reef. Sixty lamps, at a depth varying between four and ten meters, illuminate the surface of the ocean, to commemorate the great loss of life in one of the bloodiest battles of the Pacific war. Its elongated shape, shimmering in the greenish-blue, has become a poetic if slightly eerie landmark for the fishermen as they put out to sea before the sunrise.

Laurent Pariente
Sin título *Untitled*
Thiers, Francia, 1998 *Thiers, France, 1998*

Pariente llenó las salas de exposición de Thiers con un denso entramado de paredes que forman habitaciones, pasillos y haces de luz. El visitante se pierde inevitablemente en medio de paredes de tacto sedoso que reflejan la luz que entra en tonos diferentes. Empieza a descubrir gradualmente una sucesión de ambientes que se expanden y contraen según sea su itinerario personal. La repetición de los elementos estructurales crea una sorprendente variación de forma. *Sin título* es un laberinto luminoso sin centro oculto, de modo muy parecido a los recovecos de nuestra mente.

Pariente filled both gallery spaces in Thiers with a dense pattern of walls, which form a spatial layout of rooms, corridors and light shafts. The visitor inevitably looses his way among smooth tactile walls that reflect the incoming light in varying shades, and he gradually discovers a succession of spaces which expand and contract according to his personal itinerary. The repetitiveness of the structural elements creates a surprisingly varied range of formations. Untitled *is a luminous labyrinth without a hidden center, not unlike the passages of our mind.*

Daniel Libeskind
Museo Judío *Jewish Museum*
Berlín, Alemania, 1999 *Berlin, Germany, 1999*

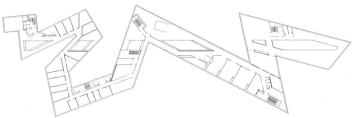

En el *Museo Judío*, recientemente acabado, Libeskind tematiza explícitamente el Holocausto. Un vacío, cuya impenetrabilidad forma el centro alrededor del cual se organizan las exposiciones, secciona la forma del museo. Para ir de un espacio a otro, el visitante cruza 60 puentes sobre el vacío: la personificación misma de la ausencia. La memoria dolorosa e inextinguible se manifiesta en la plenitud de rayos de luz intensos y discontinuos que cortan los grandes planos arquitectónicos de forma inesperada y violenta.

Libeskind explicitly thematizes the Holocaust in the recently finished Jewish Museum. *Cutting through the form of the museum is a void, whose impenetrability forms the central focus around which the exhibitions are organized. To get from from one space to another the visitor traverses sixty bridges over the void: the very embodiment of absence. The painful and inextinguishable memory manifests itself in the plenitude of sharp, discontinuous light shafts that cut the large architectural planes in unexpected and violent ways.*

Tadashi Kawamata
Pasaje de las sillas *Chair Passage*
Hospital de Salpêtrière, París, Francia, 1997 *Salpêtrière Hospital, Paris, France, 1997*

La capilla de Saint-Louis ocupa una posición central en los jardines de la clínica, y tanto los visitantes como los médicos la utilizan para desplazarse rápidamente de una parte a otra de la misma. Bajo la bóveda central de la iglesia, Kawamata creó una estructura en espiral de 10 metros de altura, utilizando unas 7.000 sillas recicladas que fueron meticulosamente colocadas en pisos formando un entramado de patas, asientos y respaldos. Esta precaria estructura es un paso temporal que enlaza el pasado espiritual de la capilla con su contexto contemporáneo y crea un lugar para que los enajenados y los cuerdos se encuentren en terreno de igualdad.

The Saint-Louis Chapel occupies a central position in the grounds of the clinic and is used as a short cut for both visitors and doctors. Beneath the central vault of the church Kawamata created a 10-meter-high spiralling structure from some 7,000 recycled chairs, meticulously layered into a latticework of legs, seats and backs. This precarious structure is a temporary passage that links the spiritual past of the chapel to its contemporary context and creates a place for the tormented and the sane to meet on equal ground.

Dan Hoffman
Cazafantasmas *Ghost Catcher*
Cranbrook, EEUU, 1996 *Cranbrook, USA, 1996*

El *Proyecto Cazafantasmas* fue diseñado para reunir y atrapar la especial atmósfera reinante en el tranquilo entorno de la Éducational Community de Cranbrook. Apoyado en postes, en medio de un estanque lleno de juncos, el *Cazafantasmas* semeja un gran cesto invertido hecho de tiras de madera entretejidas y clavadas. La trama densa del tejido atrapa la luz circundante en la superficie de la estructura, creando un entramado de luz y sombra, reclamo para los fantasmas que deben vivir en este lugar.

The Ghost Catcher Project was designed to gather and trap the special atmosphere prevailing in the peaceful surroundings of the Cranbrook Educational Community. Resting on poles in the middle of a reed-filled pond, the Ghost Catcher is akin to a large upside-down basket made of woven and pegged wooden strips. The repeated weave traps the surrounding light on the surface of the structure, creating a weft of light and shadow, a fitting lure for the ghosts that must inhabit this place.

David Ward
Mil luces *Well, One Thousand Lights*
Balneario de Leamington, Inglaterra, 1997 *Leamington Spa, England, 1997*

Mil luces fue una instalación temporal en la piscina en desuso de los Royal Pump Rooms and Baths de Leamington Spa. Esta obra inauguró la transformación del edificio de balneario público en galería de arte, centro turístico y museo de historia de la ciudad. El artista escogió la zona central del complejo para su instalación; colgó mil bombillas por la superficie que antes ocupaba el agua. Los reflejos de la luz titilando en los azulejos devolvieron la vida al edificio abandonado y la memoria de su uso anterior.

Well, One Thousand Lights was a temporary installation in the disused pool of the Royal Pump Rooms and Baths in Leamington Spa. This site-specific work initiated the building's transformation from public spa to art gallery, tourist center and local history museum. The artist chose the central part of the complex for his installation and suspended 1,000 ordinary light bulbs across the expanse where the water had been. The reflections of the hovering light on the tiles brought the abandoned building and the memory of its former use back to life.

John Körmeling
Construid en la carretera *Build On The Road*
Sonsbeek, Holanda, 1993 *Sonsbeek, Holland, 1993*

La estructura de tres plantas de Körmeling no conmemora un edificio que ya no existe, sino que proyecta la posibilidad de su presencia en el futuro. Esta instalación temporal para el Festival de Arte de Sonsbeek contempla la falta de carácter y definición de la típica carretera suburbana holandesa, consecuencia del deseo de los vecinos por conservar su intimidad a cualquier precio. El edificio ligero de Körmeling propone contrarrestar la desintegración del tejido urbano con el restablecimiento de una conexión entre las casas existentes y la calle.

Körmeling's three-story structure does not commemorate a building that has ceased to exist, but rather projects the possibility of its presence into the future. His temporary installation for the Sonsbeek Art Festival contemplates the lack of character and definition of the typical Dutch suburban road, which is a direct consequence of the residents' desire to preserve their intimacy at any cost. Körmeling's light building proposes to counteract the disintegration of the urban fabric by re-establishing a connection between the existing homesteads and the street.

Mona Hatoum
Sentencia liviana *Light Sentence*
Chapter, Cardiff, Inglaterra, 1992 *Chapter, Cardiff, England, 1992*

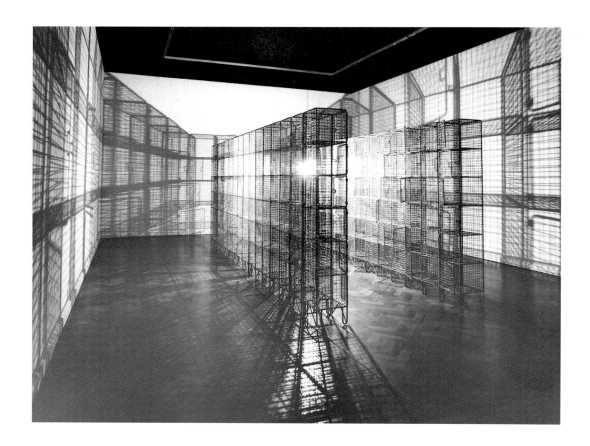

En una habitación sin ventanas, dos hileras de taquillas vacías construidas con malla metálica se unen al fondo para formar una gran estructura en forma de U. Las taquillas se han apilado hasta una altura superior a la estatura humana y las puertas se han dejado abiertas. Del centro de la U cuelga una única bombilla motorizada que se desplaza despacio y sin interrupción de arriba a abajo, proyectando sombras móviles por toda la habitación. El ambiente cambia constantemente; no existe ningún punto de vista único, ni ningún marco fiable de referencia. A veces, toda la habitación se convierte en una jaula. Al entrar en ella, el espectador es arrebatado por el dinamismo de la obra en la medida en que la sombra de su cuerpo pasa a ser parte de la pieza.

In a windowless room stand two rows of empty lockers made of wire mesh, joining at the far end to create a large U-shaped structure. The lockers have been stacked to above human height and their doors left open in the central space. A single motorized light-bulb hangs from the center of the U and travels slowly and ceaselessly up and down, casting dramatic moving shadows around the room. The environment is in constant flux; there's no single viewpoint, no solid frame of reference. Sometimes the entire room becomes a cage. Upon entering the room, the spectator is caught up in the momentum of the work as the shadows of his/her body become part of the piece.

Tom Heneghan
Cámara celeste *Heaven Chamber*
Museo Tateteyama, prefectura de Toyama, Japón, 1995 *Tateteyama Museum, Toyama Prefecture, Japan, 1995*

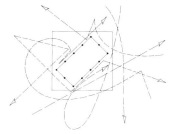

Habitación celeste es una instalación permanente en una de las cámaras de hormigón subterráneas del museo (4 x 4 x 4 m). La instalación adopta la forma de un recinto de madera alto y estrecho donde lo único que oye la gente es el sonido de sus propios cuerpos (los pies desplazándose por el pavimento de guijarros blancos) y el tictac de un metrónomo que marca el paso del tiempo. Para escuchar bien el metrónomo, los visitantes están obligados a guardar un silencio reverencial y permanecer inmóviles. El recinto está a oscuras y sólo se advierten las manchas móviles de la luz que se cuela por entre las paredes de tablillas. La fuente de la que proviene esta luz no es visible desde dentro. Estas "sombras resplandecientes" móviles sugieren la presencia de "espíritus" que se mueven más allá de las paredes del recinto, en un mundo paralelo que no conocemos ni debemos conocer. Debe seguir siendo un misterio hasta que nos llegue el momento de poder atravesar la pared y unirnos a las "sombras" que hay al otro lado.

Heaven Chamber is a permanent installation in one of the museum's subterranean concrete chambers (4 x 4 x 4 m). The installation takes the form of a tall, narrow wooden enclosure in which all people can hear is the sound of their bodies (their feet moving on a floor of white pebbles) and that of a metronome ticking their lives away. To hear the metronome clearly, visitors are obliged to adopt a reverential silence and stillness. The enclosure is dark, illuminated only by the moving patterns of light entering through the slatted walls. The source of this light cannot be seen from inside. These moving 'shadows of brightness' suggest the motion of 'spirits' moving beyond the walls of the enclosure, in a parallel world we cannot and must not know. It has to remain a mystery, until the time has come for us to step through the wall and join the 'shadows' on the other side.

Alberto Burri
Gran Grieta Gibellina *Large Crack Gibellina*
Gibellina, Italia, 1985 *Gibellina, Italy, 1985*

La ciudad de Gibellina quedó destruida tras un gran terremoto que sacudió el valle de Belice en 1968. Catorce años después fue reconstruida en terreno seguro a unos 16 kilómetros al norte. *Grieta*, la *earthwork* de Burri, sepulta las ruinas de la antigua ciudad bajo 120.000 metros cuadrados de hormigón blanco. Como un glaciar gigante, esta memoria petrificada de la catástrofe sigue las curvas del paisaje árido y accidentado del sur de Italia. Su extensa superficie se halla dividida por hendiduras de metro y medio de profundidad que trazan el plano de las calles de la antigua ciudad. Al pasear por esta inhóspita blancura, uno casi oye las voces de los muertos cuando el viento aúlla por entre estos estrechos corredores.

The town of Gibellina was destroyed in the severe earthquake that hit the Belice Valley in 1968. Fourteen years later it was rebuilt on safe ground some sixteen kilometers further to the north. Crack, *Burri's earthwork, entombs the ruins of the old town in 120,000 square meters of white concrete. Like some giant glacier, this petrified memory of the disaster follows the contours of the dry, hilly landscape of southern Italy. Its extensive surface is divided by 1.5-meter-deep crevices which map the streets of the former town. Walking through the stark whiteness one can almost hear the voices of the dead as the wind whips along these narrow corridors.*

Peter Eisenman
Monumento conmemorativo a los judíos europeos asesinados *Memorial to the Murdered Jews of Europe*
Berlín, Alemania, 1998 *Berlin, Germany, 1998*

El tan controvertido proyecto del monumento conmemorativo de Eisenman consta, en su segunda versión, de un mar de 4.000 pilares de hormigón distribuidos por una superficie de unos 34.000 m² aproximadamente. La distancia entre cada uno de estos pilares rectangulares, cuyo imponente tamaño es de 2,5 x 0,92 x 4 m, es de 92 cm, con el fin de delimitar el paso a una sola persona. Resulta fácil imaginar la inquietante experiencia de deambular solo por las interminables hileras de piedras monolíticas, teniendo la vista y el oído obstruidos por las densas capas de hormigón, el paso trastocado por el terreno imprevisiblemente ondulante y estando aislado de todo, menos de la propia memoria.

Eisenman's much disputed memorial project consists —in its second version— of a sea of 4,000 concrete pillars, distributed over an area of approximately 34,000 m². Rectangular pillars of the imposing size of 2.5 x 0.92 x 4 m —the height varies according to the location— are spaced 92 cm apart to allow only for an individual passage through the grid. It is easy to imagine the unsettling experience of wandering alone through the endless rows of monolithic stones, with one's vision and hearing obstructed by the dense layering of concrete and one's stride disrupted by the unpredictably undulating ground, cut off from everything, but one's memory.

Biografías

Vito Acconci (Nueva York, EEUU, 1940) vive y trabaja como artista en Brooklyn. Estudió Arte en la University of Iowa y en la actualidad dirige el Acconci Studio, en colaboración con arquitectos.

Tadao Ando (Osaka, Japón, 1941), arquitecto autodidacta; desde 1969 dirige un importante estudio de arquitectura en Osaka. Es profesor en diversas escuelas y *colleges*.

Shigeru Ban (Tokio, Japón, 1957) posee estudio propio en Tokio donde trabaja tanto en arquitectura como en diseño gráfico e industrial. Estudió Arquitectura en el Southern California Institute of Architecture y en la Cooper Union de Nueva York.

Per Barclay (Oslo, Noruega, 1955), artista que vive y trabaja en París desde 1995. Estudió en la Academia de Bellas Artes de Bolonia y Roma.

Mario Botta (Mendrisio, Italia, 1943), arquitecto con despacho profesional en el Ticino. En un principio acudió a una escuela de arte en Milán y posteriormente estudió Arquitectura en Venecia, donde trabajó con Le Corbusier y Louis I. Kahn.

Alan Brookes, Michael Stacey y **Nick Randall** arquitectos ingleses con estudio en Londres, Inglaterra.

Daniel Buren (Boulogne-Billancourt, Francia, 1938), artista que vive y trabaja *in situ*. (Biografía autorizada por el artista).

Alberto Burri (Città di Castello, Italia, 1915-1995), artista formado inicialmente como médico. Empezó a pintar en un campo de prisioneros en Texas durante la II Guerra Mundial y, a su vuelta a Italia, abandonó la medicina.

Claus Bury (Meerholz, Alemania, 1946), escultor que trabaja a escala arquitectónica. Se formó como orfebre y, más tarde, estudió en la Escuela de Diseño de Pforzheim.

Mike Cadwell (Rutland, EEUU, 1952), arquitecto; cursó sus estudios en la Universidad de Yale y en la actualidad es profesor en la Ohio State University.

James Carpenter (Washington DC, EEUU, 1949), arquitecto que dirige desde 1979 una empresa de diseño de productos de vidrio en Nueva York.

Eduardo Chillida (San Sebastián, España, 1924), escultor vasco de fama internacional. Estudió Dibujo en Madrid tras abandonar sus estudios de Arquitectura.

Jae Eun Choi (Seúl, Corea del Sur, 1953), artista de instalaciones afincada en Tokio; estudió en la Escuela de Arte Sogetsu de dicha ciudad. Desde 1986 trabaja en su Proyecto de Metro Mundial.

Pierre d'Avoine (Bombay, India, 1951), arquitecto afincado en Londres. Estudió en la Birmingham School of Architecture y desde 1979 dirige su propio estudio. Es profesor en la Architectural Association de Londres.

Bert Dirrix (Heerlen, Holanda, 1954) (Universidad Politécnica de Eindhoven) y **Rein Van Wylick** (Geldrop, Holanda, 1952) (Academia de Arquitectura), arquitectos holandeses que, en 1984, abrieron su despacho Dirrix van Wylick en Eindhoven.

Balkrishna Doshi (Puna, India, 1927), fundador de diversas fundaciones en Ahmedabad, ciudad donde además tiene su estudio de arquitectura. Estudió en la Escuela de Arte J. J. de Mubai, fue ayudante de Le Corbusier y ha estado asociado con Louis I. Kahn.

Peter Eisenman (Newark, EEUU, 1932), arquitecto afincado en Nueva York, ciudad donde tiene su despacho profesional y donde, además, enseña y escribe. Tras haber estudiado en Cornell y Columbia, se doctoró en Filosofía y Letras por la Cambridge University y en Bellas Artes por la Illinois University.

Olafur Eliasson (Copenhague, Dinamarca, 1967), artista; estudió en la Real Academia de Bellas Artes de Copenhague y en la actualidad vive en Berlín.

Sverre Fehn (Konigsberg, Noruega, 1924) se licenció en Arquitectura en Oslo en 1949. Tras vivir largas temporadas en Marruecos y París —donde trabajó con Prouvé—, abrió despacho propio en Oslo, ciudad donde además impartió clases hasta 1995.

Bill Fontana (Cleveland, EE UU, 1947), artista que vive y trabaja en San Francisco. Estudió Filosofía y Música en el Cleveland Institute of Music y en la John Caroll University de Cleveland.

Aurelio Galfetti (Lugano, Suiza, 1936), arquitecto con despacho profesional en Bellinzona desde 1976. Estudió Arquitectura en el ETH de Zúrich.

Adrian Geuze (Dordrecht, Holanda, 1960), arquitecto paisajista fundador, en 1987, del estudio West 8 en Rotterdam. Estudió en la Universidad Agrícola de Wageningen y es profesor en varias escuelas.

Jaume Giralt (Barcelona, España, 1953) y **Pepe Camps** (Barcelona, España, 1954), artistas autodidactas que viven y trabajan en su ciudad natal.

Karen Giusti (Groos Point, Michigan, EEUU, 1954) estudió Arte en la Yale University. Vive y trabaja en Nueva York, donde es directora del departamento de Escultura de la Brooklyn College City University.

Andy Goldsworthy (Cheshire, Inglaterra, 1956) se licenció en Bellas Artes por el Lancaster Art College. Pese a sus viajes, permanece muy vinculado a Escocia, donde vive y trabaja.

Melissa Gould (Nueva York, EEUU, 1958), artista afincada en Nueva York. Estudió Fotografía en la Rhode Island School of Design de Nueva York y en Roma.

Dan Graham (Urbana, EEUU, 1942), artista de fama internacional afincado en Nueva York.

Cai Guo-Qiang (Quanzhou, China, 1957) estudió Escenografía en el Instituto del Teatro de Shanghai. Se trasladó a Nueva York en 1995 tras haber trabajado como artista en Japón.

Hans Haake (Colonia, Alemania, 1936), artista; estudió Arte en la Academia de Bellas Artes de Kassel y en la Tyler School of Art de Filadelfia. Vive y trabaja en Nueva York.

Itsuko Hasegawa (prefectura de Shizouku, Japón, 1954) arquitecta con despacho propio en Tokio desde 1979. Es profesora en las universidades de Wasede, Tokio y Harvard.

Christian Hasucha (Berlín, Alemania, 1955), artista; estudió en la HdK de Berlín, la Chelsea School of Art de Londres y la Academia de Bellas Artes de Tronheim. En la actualidad vive en Colonia, Alemania.

Mona Hatoum (Beirut, Líbano, 1952), artista palestina que vive y trabaja en Londres desde 1975. Estudió Arte en Beirut, en la Byam Shaw School y en la Slade School de Londres.

Hans Hemmert (Hollstadt, Alemania, 1960), artista afincado en Berlín; inició sus estudios en la HdK de Berlín y después se graduó por la St. Martin's School of Art de Londres.

Tom Heneghan (Londres, Inglaterra, 1951) estudió en la Architectural Association de Londres, de la que fue profesor entre 1977 y 1990. En la actualidad vive, trabaja e imparte clases en Tokio, Japón.

Ron Herron (Londres, Inglaterra, 1930-1994) empezó su carrera como aprendiz en el Greater London Council, cofundó Archigram en 1961 y compartió su profesión con la docencia en la Architectural Association de Londres y con la dirección del departamento de Arquitectura de la East London University.

Jacques Herzog (Basilea, Suiza, 1950) y **Pierre de Meuron** (Basilea, Suiza, 1950) abrieron su estudio de arquitectura en Basilea en 1978. Estudiaron en la ETH de Zúrich e imparten clases en la Harvard University.

Dan Hoffman arquitecto americano con despacho profesional en Ann Arbor, Michigan. Estudió en la Cooper Union de Nueva York y actualmente es profesor de Arquitectura en la University of Michigan.

Steven Holl (Bremerton, EEUU, 1947), arquitecto; desde 1976 dirige un estudio internacional de arquitectura desde Nueva York. Estudió Arquitectura en Roma y en la Architectural Association de Londres y en la actualidad es profesor en diversas universidades de EEUU.

Hans Hollein (Viena, Austria, 1934) estudió Ingeniería Civil en la Bundesgewerbeschule de Viena y Arquitectura en la Academia de Bellas Artes de Viena, además de en EEUU. Desde 1963 reparte su tiempo entre la docencia y el ejercicio de su profesión.

Douglas Hollis (Michigan, EEUU, 1948), artista licenciado en Bellas Artes por la University of Michigan.

Motoko Ishii (Tokio, Japón), luminotécnica; en 1968 fundó su propia empresa en Tokio. Desde entonces ha abierto oficinas en París, Hamburgo y Los Ángeles. Estudió Diseño Industrial en la Universidad de Bellas Artes de Tokio.

Toyo Ito (Seúl, Corea del Sur, 1941) arquitecto por la Universidad de Tokio en 1965. Abrió su estudio de arquitectura en 1971 en Tokio y actualmente imparte clases por todo el mundo.

Morten Kaels (Copenhague, Dinamarca, 1958) se formó como interiorista y diseñador de muebles en el Colegio Nacional de Arte y Diseño de Oslo antes de entrar en la Architectural Association de Londres. Vive y trabaja en Oslo.

Dani Karavan (Tel Aviv, Israel, 1930) estudió Arte en Israel y en la Academia de Bellas Artes de Florencia. Trabaja entre París y Haifa. Es doctor en Filosofía por la Universidad de Haita, Israel.

Tadashi Kawamata (Hokkaido, Japón, 1953), artista; estudió en la Universidad Nacional de Bellas Artes y Música de Tokio. Vive en Tokio y Amiens y trabaja *in situ*.

Yann Kersalé (Boulogne-Billancourt, Francia, 1955) estudió Arte en la Escuela de Bellas Artes de Quimper, donde se graduó en 1978. Vive y trabaja en París.

Gabriele Kiefer (Frankenthal, Alemania, 1960), arquitecta paisajista que vive, trabaja e imparte clases en Berlín desde 1989. Estudió Arquitectura Paisajista en la Technische Universität de Berlín.

John Körmeling (Amsterdam, Holanda, 1951), arquitecto que vive y trabaja en Eindhoven, Holanda.

Martin Kippenberger (Dortmund, Alemania, 1953-1997), artista; se formó como decorador en una tienda de ropa, viajó mucho y fundó el Museo de Arte Moderno en Siros y en otros espacios relacionados con el arte donde expuso su obra.

Yayoi Kusama (Nagano-ken, Japón, 1929) estudió en la Escuela de Artes y Oficios de Kioto antes de trasladarse a América. Se hizo famoso en el mundo artístico psicodélico neoyorquino de los años sesenta y en 1976 regresó a Japón.

Françoise Labbe (Corbie, Francia, 1952) y **Serge Salat** (Toulouse, Francia, 1956), este último es doctor en Económicas; ambos tienen formación como arquitectos y viven y trabajan en París desde 1988.

Daniel Libeskind (Lodz, Polonia, 1946), arquitecto; estudió Música en Israel y Arquitectura en la Cooper Union de Nueva York. En la actualidad es profesor de Teoría de la Arquitectura y dirige un estudio en Berlín.

Bernard Leitner (Austria, 1938), arquitecto; estudió en la Technische Universität de Viena y ha vivido en París, Nueva York y Berlín. En la actualidad está afincado en Viena, donde imparte clases de Arquitectura "Sonora".

Christian Marclay (San Rafael, EEUU, 1955), artista afincado en Nueva York; estudió Arte en la Escuela Superior de Artes Visuales de Ginebra y en el Massachusetts College of Art de Boston.

Mary Miss (Nueva York, EEUU, 1944), artista afincada en Nueva York. Tras estudiar en la University of California de Santa Bárbara, obtuvo un MFA (Master of Fine Arts) en Escultura por el Maryland Art Institute.

Juan Navarro Baldeweg (Santander, España, 1939), pintor y arquitecto. Estudió en la Escuela de Bellas Artes de Madrid y luego empezó la carrera de Arquitectura, en la que se doctoró en 1969. Desde 1977 imparte clases en varias escuelas de Arquitectura, actividad que compagina con su despacho profesional en Madrid.

Hans Nevidal (Viena, Austria, 1956) estudió Arquitectura en Viena, donde en la actualidad trabaja como diseñador y artista.

Jean Nouvel (Lot-et-Garonne, Francia, 1945), arquitecto de fama internacional con despacho profesional en París desde 1970. Estudió Arquitectura en la Escuela de Bellas Artes de París.

Shinichi Ogawa (Yamagushi, Japón, 1955), arquitecto con despacho profesional en Hiroshima. Estudió Arquitectura en la Washington University tras licenciarse en Bellas Artes por la Universidad de Nihon. Actualmente es profesor de la Universidad de Kinki, Japón.

Christos Papoulias (Atenas, Grecia, 1953) estudió Arquitectura en Venecia. Vive y trabaja como arquitecto en Atenas.

Jorge Pardo (La Habana, Cuba, 1963), artista; estudió Diseño en el Art Center College of Design and Art de la University of Illinois. En la actualidad vive y trabaja en Los Ángeles.

Laurent Pariente (Orán, Argelia, 1962) se fue a vivir a París, donde vive y trabaja como artista.

I. M. Pei (Cantón, China, 1917), arquitecto; dirige un estudio de arquitectura internacional en Nueva York. Estudió en el MIT y en la Harvard University, donde además imparte clases.

Philips Design es el departamento de investigación y diseño que la empresa Philips tiene en Eindhoven, Holanda.

Jacques Rouveyrollis (Orenoble, Francia, 1945), luminotécnico; vive y trabaja en París.

Martha Schwartz (Filadelfia, EEUU, 1950), arquitecta paisajista formada en Bellas Artes y Paisajismo, disciplina que estudió en la universidades de Michigan y Harvard. Actualmente es profesora en Harvard University.

Makoto Sei Watanabe (Yokohama, Japón, 1952), arquitecto afincado en Tokio, donde tiene su estudio desde 1984. Estudió en la Universidad Nacional de Yokohama y en la actualidad es profesor en varias escuelas de Japón.

Jeffrey Shaw (Melbourne, Australia, 1944), artista; estudió Arquitectura y obtuvo un MA (Master of Arts) en Escultura por la St Martin's School of Art de Londres. En la actualidad imparte clases en Alemania, donde es director del Instituto de Audiovisuales (ZKM).

Susumu Shingu (Osaka, Japón, 1937), escultor; estudió Pintura en la Universidad de Bellas Artes de Tokio y en la Academia de Bellas Artes de Roma.

Lars Spuybroek (Rotterdam, Holanda, 1959), arquitecto que trabaja y escribe en Rotterdam, donde fundó su estudio de arquitectura, NOX, en 1990. Estudió Arquitectura en la Universidad Politécnica de Delft, Holanda.

Rosemarie Trockel (Schwerte, Alemania, 1952) y **Carsten Holler** (Bruselas, Bélgica, 1961) viven y trabajan en Colonia. Cada uno ejerce su profesión en el ámbito internacional, pero suman esfuerzos en proyectos concretos.

Bernhard Tschumi (Lausana, Suiza, 1944), arquitecto y teórico que divide su tiempo entre Nueva York y París. Estudió en París y en la ETH de Zúrich; en la actualidad es decano de la Columbia University.

James Turrell (Los Ángeles, EEUU, 1943) se especializó en Psicología, Matemáticas e Historia antes de licenciarse en Bellas Artes por la Clarmont Graduate School en 1973. Al principio de su carrera artística se ganaba la vida con la navegación aérea y la fotogrametría.

Micha Ullman (Tel Aviv, Israel, 1939), escultor; estudió Arte en la Academia Bezalel de Jerusalén y en la Central School for Arts and Crafts de Londres. Desde 1970 imparte clases en varias escuelas y en la actualidad vive y trabaja en Israel.

Eulàlia Valldosera (Barcelona, España, 1963), artista que vive y trabaja en España.

Michael Van Valkenburgh (Estado de Nueva York, EEUU, 1951) arquitecto paisajista cuyo despacho profesional se encuentra en Cambridge (EE UU). Tras estudiar Agricultura y Fotografía, obtuvo un MA en Arquitectura del Paisaje por la University of Illinois. Desde 1993 imparte clases en la Harvard Graduate School of Design.

Albert Viaplana (1933) y **Helio Piñon** (1942), arquitectos que compartían estudio en Barcelona. Desde 1997 tienen estudios independientes, imparten clases en la Escuela de Arquitectura de Barcelona.

Hansjörg Voth (Bad Habsburg, Alemania, 1940), artista; vive en Múnich y trabaja *in situ*.

David Ward (Wolverhampton, Inglaterra, 1951), artista; vive y trabaja en Londres. Estudió en el College of Art de Wolverhampton y en la School of Art de Winchester; es autor del libro *Casting the Die*, publicado por el Henry Moore Institute.

Hali Weiss (Buffalo, EEUU, 1960), arquitecta afincada en Nueva York, fundadora y presidenta de Living Monuments, Inc. Obtuvo un MA en Arquitectura por la Columbia University de Nueva York.

Allan Wexler (Bridgeport, EEUU, 1949) obtuvo un MA en Arquitectura antes de dedicarse al Arte, disciplina que estudió en la School of Design de Rhode Island.

Rachel Whiteread (Londres, Inglaterra, 1963) estudió Pintura en la Brighton Polytechnic y Escultura en la Slade School of Art. Vive y trabaja en Londres.

Wolfgang Winter (Offenbach, Alemania, 1960) y **Berthold Hörbelt** (Coesfeld, Alemania, 1958), artistas que trabajan juntos desde 1992. Ambos estudiaron en la Hochschule Bildender Künste de Kassel y en la Städelschule de Francfort, ciudad donde tienen su taller.

Hans Peter Wörndl (Austria, 1958), arquitecto activo en Viena, ciudad donde además imparte clases. Estudió Ingeniería en la Technische Universität de Múnich y Arquitectura en la Cornell University, EEUU.

Shoei Yoh (Kumamoto, Japón, 1940) estudió Económicas en Tokio y se licenció en Bellas Artes y Artes Aplicadas por la Wittenberg University de EEUU antes de empezar los estudios de Arquitectura. En la actualidad dirige un estudio en Fukuoka y es catedrático de Arquitectura y Urbanismo en la Universidad de Keio, Japón.

Peter Zumthor (Basilea, Suiza, 1943), arquitecto formado además como ebanista. Estudió en el Pratt Institute de Nueva York y en la actualidad imparte clases en varias universidades de Europa y EEUU.

Biographies

Vito Acconci *(New York, USA, 1940) lives and works as an artist in Brooklyn. He studied art at the University of Iowa and currently runs the Acconci Studio, which collaborates with architects.*

Tadao Ando *(Osaka, Japan, 1941) is a self-taught architect who has run a large architectural practice in Osaka since 1969. He teaches in various schools and colleges.*

Shigeru Ban *(Tokyo, Japan, 1957) has a practice in Tokyo which combines architecture, industrial and graphic design. He studied architecture at the Southern California Institute of Architecture and the Cooper Union in New York.*

Per Barclay *(Oslo, Norway, 1955) is an artist who has lived and worked in Paris since 1995. He studied at the Academy of Fine Art in Bologna and Rome.*

Mario Botta *(Mendrisio, Italy, 1943) is an architect who runs a practice in the Ticino. He initially attended art school in Milan and then went on to study architecture in Venice, where he worked together with Le Corbusier and Louis I. Kahn.*

Alan Brookes, Michael Stacey *and* **Nick Randall** *are three English architects who run an office in London, England.*

Daniel Buren *(Boulogne-Billancourt, France, 1938) is an artist who lives and works in situ. (Artist authorized biography).*

Alberto Burri *(Città di Castello, Italy, 1915-1995) was an artist who initially trained as a doctor. He began to paint in a prison camp in Texas in WW2 and abandoned medicine completely on his return to Italy.*

Claus Bury *(Meerholz, Germany, 1946) is a sculptor who works on an architectural scale. He trained as a goldsmith and then went on to study at the School of Design in Pforzheim.*

Mike Cadwell *(Rutland, USA, 1952) is an architect who teaches at Ohio State University.*

James Carpenter *(Washington D.C., USA, 1949) is an architect who has run a design company for glass products in New York since 1979.*

Eduardo Chillida *(San Sebastian, Spain, 1924) is an internationally renowned sculptor from the Basque country. He studied drawing in Madrid after abandoning his architectural studies.*

Jae Eun Choi *(Seoul, South Korea, 1953) is an installation artist based in Tokyo, where she also studied at the Sogetsu Art School. She has been working on her 'World Underground Project' since 1986.*

Pierre d'Avoine *(Bombay, India, 1951) is an architect based in London. He attended the Birmingham School of Architecture and has run his own practice since 1979. He teaches at the Architectural Association in London.*

Bert Dirrix *(Heerlen, Holland, 1954) (Technical University Eindhoven)* and **Rein Van Wylick** *(Geldrop, Holland, 1952)(Academy of Architecture) are two Dutch architects who set up their office Dirrix van Wylick office in Eindhoven in 1984.*

Balkrishna Doshi *(Pune, India, 1927) is the founder of a number of foundations in Ahmedabad, where he also runs his architectural practice. He studied at the J.J. School of Art in Mubai, was an apprentice to Le Corbusier and has been an associate of Louis I. Kahn.*

Peter Eisenman *(Newark, USA, 1932) is a New York-based architect who runs a practice, as well as teaching and writing. He obtained a PhD from Cambridge University and an Honorary Doctorate in Fine Arts from Illinois University after having studied at Cornell and Columbia.*

Olafur Eliasson *(Copenhagen, Denmark, 1967) is an artist who studied at the Royal Art Academy in Copenhagen and is currently living in Berlin.*

Sverre Fehn *(Konigsberg, Norway, 1924) received his architectural diploma in Oslo in 1949. After extended stays in Morocco and Paris —where he worked with Prouvé— he set up his office in Oslo, where he also taught until 1995.*

Bill Fontana *(Cleveland, USA, 1947) is an artist who lives and works in San Francisco. He studied philosophy and music at the Cleveland Institute of Music and the John Caroll University in Cleveland.*

Aurelio Galfetti *(Lugano, Switzerland, 1936) is an architect who has run his own practice in Bellinzona since 1976. He studied architecture at the ETH in Zurich.*

Adrian Geuze *(Dordrecht, Holland, 1960) is a landscape architect who founded the 'West 8' practice in Rotterdam in 1987. He studied at the Wageningen Agricultural University and teaches in different schools.*

Jaume Giralt *(Barcelona, Spain, 1953) and* **Pepe Camps** *(Barcelona, Spain, 1954) are self-taught artists who live and work in the city of their birth.*

Karen Giusti *(Groos Point, Michigan, USA, 1954) studied art at Yale University. She lives and works in New York, where she is also the head of the sculpture department at Brooklyn College City University.*

Andy Goldsworthy *(Cheshire, England, 1956) obtained a degree in Fine Art from Lancaster Art College. Despite his travels he retains a firm connection to his Scottish base, where he lives and works.*

Melissa Gould *(New York, USA, 1958) is a New York-based artist. She studied photography at the Rhode Island School of Design in New York and in Rome.*

Dan Graham *(Urbana, USA, 1942) is an internationally renowned artist based in New York.*

Cai Guo-Qiang *(Quanzhou, China, 1957) studied stage design at the Shanghai Drama Institute. He moved to New York in 1995 after having worked as an artist in Japan.*

Hans Haake *(Cologne, Germany, 1936) is an artist who studied art at the Academy of Fine Arts in Kassel and at the Tyler School of Art in Philadelphia. He lives and works in New York.*

Itsuko Hasegawa *(Shizouku Prefecture, Japan, 1941) is an architect who established her practice in Tokyo in 1979. She teaches at the Universities of Wasede, Tokyo and Harvard.*

Christian Hasucha *(Berlin, Germany, 1955) is an artist who studied at the HdK in Berlin, the Chelsea School of Art in London and the Academy of Fine Art in Tronheim, Norway. He currently lives in Cologne, Germany.*

Mona Hatoum *(Beirut, Lebanon, 1952) is a Palestinian artist who has lived and worked in London since 1975. She studied art in Beirut and at the Byam Shaw School and Slade School of Art in London.*

Hans Hemmert *(Hollstadt, Germany, 1960) is a Berlin-based artist who initiated his studies at the HdK in Berlin and went on to graduate from St. Martin's School of Art in London.*

Tom Heneghan *(London, England, 1951) studied at the Architectural Association in London, where he subsequently taught from 1977-90. He now lives, works and teaches in Tokyo, Japan.*

Ron Herron *(London, England, 1930-1994) began his career as a trainee at the Greater London Council, co-founded 'Archigram' in 1961 and shared his practice time with teaching at the Architectural Association and as head of the Architectural Department at East London University.*

Jacques Herzog *(Basel, Switzerland, 1950) and* **Pierre de Meuron** *(Basel, Switzerland, 1950) set up their architectural practice in Basel in 1978. They studied at the ETH in Zurich and teach at Harvard University.*

Dan Hoffman *is an American architect who runs a practice in Ann Arbor, Michigan. He was educated at the Cooper Union in New York and is currently Professor of Architecture at the University of Michigan.*

Steven Holl *(Bremerton, USA, 1947) is an architect who has run his international practice from New York since 1976. He studied architecture in Rome and at the Architectural Association in London and is currently teaching at various universities in the USA.*

Hans Hollein *(Vienna, Austria, 1934) studied civil engineering at the Bundesgewerbeschule in Vienna and architecture at the Viennese Academy of Fine Arts and in the USA. He has divided his time between teaching and his architectural practice since 1963.*

Douglas Hollis *(Michigan, USA, 1948) is an artist with a BFA from the University of Michigan.*

Motoko Ishii *(Tokyo, Japan) is a lighting designer who established her own company in Tokyo in 1968. Since then she has opened offices in Paris, Hamburg and LA. She studied Product Design at the Tokyo University of Fine Arts.*

Toyo Ito *(Seoul, South Korea, 1941) graduated in architecture from Tokyo University in 1965. He established his practice in 1971 in Tokyo and teaches worldwide.*

Morten Kaels *(Copenhagen, Denmark, 1958) was trained in interior and furniture design at the National College of Art and Design in Oslo, before attending the Architectural Association in London. He lives and works in Oslo.*

Dani Karavan *(Tel Aviv, Israel, 1930) studied art in Israel and at the Academy of Fine Arts in Florence. He divides his working time between Paris and Haifa. He is a doctor of philosophy at Haifa University in Israel.*

Tadashi Kawamata *(Hokkaido, Japan, 1953) is an artist who studied at the Tokyo National University of Fine Arts and Music. He lives in Tokyo and Amiens and works in situ.*

Yann Kersalé (Boulogne-Billancourt, France, 1955) studied art at the School of Fine Arts in Quimper, graduating in 1978. He lives and works in Paris.

Gabriele Kiefer (Frankenthal, Germany, 1960) is a landscape architect who has lived, worked and taught in Berlin since 1989. She studied landscape architecture at the Technical University of Berlin.

John Körmeling (Amsterdam, Holland, 1951) is an architect who lives and works in Eindhoven, Holland.

Martin Kippenberger (Dortmund, Germany 1953-1997) was an artist who trained as a decorator in a clothing store, travelled extensively and founded the Museum for Modern Art in Syros and other art-related places where he showed his work.

Yayoi Kusama (Nagano-ken, Japan, 1929) studied at the Arts and Crafts School in Kyoto before she moved to America. She first found fame in the 60s psychedelic artwork of New York and returned to Japan in 1976.

Françoise Labbe (Corbie, Francia, 1956) and **Serge Salat** (Toulouse, Francia, 1952) are an architect and artist team who have lived and worked in Paris since 1988.

Daniel Libeskind (Lodz, Poland, 1946) is an architect who studied music in Israel and architecture at the Cooper Union in New York. He currently teaches as an architectural theoretician and runs an office in Berlin.

Bernard Leitner (Austria, 1938) is an architect who studied at the Vienna Technical University and has lived in Paris, New York and Berlin. He is currently based in Vienna, where he gives classes on 'sound' architecture.

Christian Marclay (San Rafael, USA, 1955) is a New York-based artist who studied fine art at the Superior School of Visual Arts in Genf and at the Massachusetts College of Art in Boston.

Mary Miss (New York, USA, 1944) is a New York-based artist. After studying at the University of California in Santa Barbara, she obtained an MFA in sculpture from the Maryland Art Institute.

Juan Navarro Baldeweg (Santander, Spain, 1939) is a painter and architect. He attended the School of Fine Arts in Madrid and went on to study architecture, obtaining his PhD in 1969. Since 1977 he has taught in different architecture schools, while simultaneously running his office in Madrid.

Hans Nevidal (Vienna, Austria, 1956) studied architecture in Vienna, where he now works as a designer and artist.

Jean Nouvel (Lot-et-Garonne, France, 1945) is an internationally renowned architect who established his practice in Paris in 1970. He studied architecture at the School of Fine Arts in Paris.

Shinichi Ogawa (Yamagushi, Japan, 1955) is an architect who runs a practice in Hiroshima. He studied architecture at Washington University after obtaining a BFA from Nihon University. He currently teaches at Kinki University in Japan.

Christos Papoulias (Athens, Greece, 1953) studied architecture in Venice. He lives and works as an architect in Athens.

Jorge Pardo (La Havana, Cuba, 1963) is an artist who studied design at the Art Center College of Design and art at the University of Illinois. He currently lives and works in Los Angeles.

Laurent Pariente (Oran, Algeria, 1962) moved to Paris, where he lives and works as an artist.

I. M. Pei (Canton, China, 1917) is an architect who runs an international architectural office in New York. He studied at MIT and Harvard University, where he also teaches.

Philips Design is the research and design department of the Philips Company in Eindhoven, Holland.

Jacques Rouveyrollis (Grenoble, France, 1945) is a lighting designer who works and lives in Paris.

Martha Schwartz (Philadelphia, USA, 1950) is a landscape architect with a background in fine arts and landscape architecture, which she studied at the Universities of Michigan and Harvard. She currently teaches at the latter.

Makoto Sei Watanabe (Yokohama, Japan, 1952) is an architect based in Tokyo, where he has run a practice since 1984. He studied at the Yokohama National University and currently lectures in various schools in Japan.

Jeffrey Shaw (Melbourne, Australia, 1944) is an artist who studied architecture and obtained an MA in sculpture at St Martin's School of Art in London. He currently teaches in Germany, where he is the director of the Institute for Visual Media (ZKM).

Susumu Shingu (Osaka, Japan, 1937) is a sculptor who studied painting at the Tokyo University of Arts and the Academy of Fine Arts in Rome.

Lars Spuybroek (Rotterdam, Holland, 1959) is an architect who works and writes in Rotterdam, where he founded his architectural office, NOX, in 1990. He studied architecture at the Technical University in Delft, Holland.

Rosemarie Trockel (Schwerte, Germany, 1952) and **Carsten Holler** (Brussels, Belgium, 1961) live and work in Cologne. Both artists pursue their individual careers on an international level, but join forces for particular projects.

Bernhard Tschumi (Lausanne, Switzerland, 1944) is an architect and theoretician, who divides his time between New York and Paris. He studied in Paris and at the ETH in Zurich, and is currently Dean of Columbia University.

James Turrell (Los Angeles, USA, 1943) majored in psychology, mathematics and history before completing his fine arts degree at Clarmont Graduate School in 1973. In the early stages of his artistic career he earned his keep with flight navigation and photogrammetry.

Micha Ullman (Tel Aviv, Israel, 1939) is a sculptor who studied art at the Bezalel Academy in Jerusalem and at the Central School for Arts and Crafts in London. He has taught in various schools since 1970 and is currently living and working in Israel.

Eulàlia Valldosera (Barcelona, Spain, 1963) is an artist who lives and works in Spain.

Michael Van Valkenburgh (New York State, USA, 1951) is a landscape architect with his practice in Cambridge, USA. After stduying agriculture and photography he obtained an MA in landscape architecture from the University of Illinois. Since 1993 he has taught at the Harvard Graduate School of Design.

Albert Viaplana (Spain, 1933) and **Helio Piñon** (1942) are architects who shared a practice in Barcelona. Recently separated, they currently teach at the Barcelona School of Architecture.

Hansjörg Voth (Bad Habsburg, Germany, 1940) is an artist who lives in Munich and works in situ.

David Ward (Wolverhampton, England, 1951) is an artist who lives and works in London. He studied at Wolverhampton College of Art and the Winchester School of Art and is author of the book Casting the Die, published by the Henry Moore Institute.

Hali Weiss (Buffalo, USA, 1960) is a New York-based architect and the founder and president of Living Monuments, Inc. She obtained an MA in architecture from Columbia University in New York.

Allan Wexler (Bridgeport, USA, 1949) obtained an MA in architecture before pursuing his interest in art, which he initially studied at the Rhode Island School of Design.

Rachel Whiteread (London, England, 1963) studied painting at Brighton Polytechnic and sculpture at the Slade School of Art. She lives and works in London.

Wolfgang Winter (Offenbach, Germany, 1960) and **Berthold Hörbelt** (Coesfeld, Germany, 1958) are artists who have worked together since 1992. Both studied at the Hochschule Bildender Künste in Kassel and Städelschule in Frankfurt, where they also have their studio.

Hans Peter Wörndl (Austria, 1958) is a practising architect in Vienna, where he also teaches. He studied engineering at the Technical University of Munich and architecture at Cornell University in the USA.

Shoei Yoh (Kumamoto City, Japan, 1940) studied economics in Tokyo and graduated in fine and applied arts at Wittenberg University in USA before taking up architecture. He currently runs a practice in Fukuoka and is also Professor of Architecture and Urban Design at Keio University, Japan.

Peter Zumthor (Basel, Switzerland, 1943) is an architect who also trained as a cabinet-maker. He studied at the Pratt Institute in New York and is currently teaching at several universities in Europe and the USA.

Créditos *Credits*